我的名字_____
我今年___岁了
生肖_____星座_____
这是我的第___本书

凤凰少儿·成长快乐

一粒沙子
看得出一个世界
一朵花儿
看得见天堂
把无限
放在你的手里
把永恒
一刹那收藏
……

凤凰少儿知识宝库

儿童
十万个
为什么

彩图拼音 · 轻松阅读 · 开拓视野

【金牌权威 精美图片】

生活常识

陕西出版集团
陕西旅游出版社

图书在版编目(CIP)数据

儿童十万个为什么.6,生活常识 / 汪娟编. -- 西安:陕西旅游出版社, 2010.1
(凤凰少儿知识宝库)
ISBN 978-7-5418-2557-6

Ⅰ.①儿… Ⅱ.①汪… Ⅲ.①科学知识－儿童读物②生活－知识－儿童读物 Ⅳ.①Z228.1②TS976.3-49

中国版本图书馆 CIP 数据核字(2009)第 241851 号

- 出版策划:长安经典童书坊
- 整体设计:凤凰少儿 爱德华工作室
- 插图绘画:萤火虫 晶晶 谢欢欢 张丽娟
- 文字校对:小贝 周子悦 康康 馨馨 在伊
- 友情链接:1001 图书网 当当网 卓越网
- http://www.book1001.com
- E-mail:phocnixchildren@tom.com

凤凰少儿知识宝库 · 生活常识

责任编辑:马伟伟 **编著:**汪娟 **封面设计:**袁国彪
出版发行:陕西旅游出版社
　　　　　(西安市长安北路 56 号 邮编:710061)
电　话:029-85268220(发行部)
网　址:http://www.QQQbooks.com
经　销:全国新华书店
印　刷:武汉佳汇印务有限公司
开　本:880 × 1230 mm 　1/32
印　张:32
字　数:50 千字
版　次:2013 年 1 月第 2 版
印　次:2013 年 1 月第 4 次印刷
书　号:ISBN 978-7-5418-2557-6
定　价:80.00 元(全八册)

前言

面对扑朔迷离、无奇不有的大干世界，怀着童真的好奇和求知的渴望，孩子们总会问"为什么""为什么"，远古人类的生活、太空的景象对孩子来说既神秘又充满诱惑。《儿童十万个为什么》给孩子们展现了一个个贴近生活的科学小知识。纷繁多样、千姿百态的植物园地；形态各异、热闹非凡的动物王国；从低级的生命到最高等的人类，一个个漫长的过程，一串串知识的珍珠。让人眼花撩乱的科技大看台；绽放着智慧之花的发现发明故事；令人神往、物产富饶的中国大地；承载着悠久历史的人类社会……遨游这一切，将撑出一片知识与智慧的天空！一群蚂蚁能抬走大骨头，那是在教我们团结；温柔的水珠能滴穿岩石，是在教我们勤劳坚韧；蜜蜂在花丛中忙碌穿梭，是在教我们勤劳……大自然是最好的老师，只要走进《儿童十万个为什么》，天天都会有收获！

CONTENTS 目录

🎁 生活百科知多少

晒过的棉被为什么又软又轻？ 2

保温瓶为什么能保温？ 4

热水瓶的塞子为什么会
　　跳起来？ 6

电灯泡为什么会发光？ 8

油锅着火为什么不能用水灭？ 10

水壶里为什么长有水垢？ 12

为什么炒菜用铁锅好？ 14

鸡蛋为什么会在盐水中上浮？ 16

饺子熟了为什么会
　　浮上水面？ 18

为什么装在罐头里的食品
　　不容易坏？ 20

夏天食物为什么容易变坏？ 22

用筷子对孩子有什么好处？ 24

商品上为什么使用条形码？ 26

为什么肥皂能把脏东西洗掉？ 28

为什么有时突然往玻璃杯里
　　倒开水，玻璃杯会裂？ 30

为什么冬天脱衣服常会
　　发出"噼啪"声？ 32

🩺 健康指南掌握好

有雾的天气为何不宜锻炼身体？ 34

为什么牙刷用久了不利于
　　身体健康？ 36

为什么看电视时不能靠得
　　太近？ 38

为什么要打预防针？ 40

发烧时为什么可以用酒精降温？ 42

为什么空调房里不宜久待？ 44

为什么剧烈运动后不能
　　马上进食？ 46

为什么饮料不能代替白开水？ 48

为什么吃饭不能挑食？ 50

为什么吃零食不是一个好习惯？ 52

为什么早上不能空腹喝牛奶？ 54

为什么方便面不能常吃？ 56

为什么不能喝生水？ 58

吃东西时为什么不能狼吞虎咽？ 60

为什么小朋友要多吃
　　绿色食品？ 62

人身安全要明了

为什么雷雨天最好不要
　　看电视？ 64
为什么不能用湿手去拔电线
　　插头？ 66
为什么不能用手去拉
　　触电的人？ 68
为什么会煤气中毒？ 70
手烫伤了怎么办？ 72
发现家中有贼怎么办？ 74
鱼刺卡在喉咙里怎么办？ 76
身上着火怎么办？ 78
怎样报火警才正确？ 80
为什么救生圈被涂成橙黄色？ 82
为什么下雨天容易滑倒？ 84
飞机上为什么禁用手机？ 86
怎样防止扒手窃包？ 88
为什么要走人行道？ 90
为什么红灯停、绿灯行？ 92

勤学多问早知道

纸是用什么做的？ 94
动画片为什么会动？ 96
风筝为什么能飞上天？ 98
不倒翁为什么不会倒？ 100
鸟落在高压线上为什么不会
　　触电？ 102
为什么在火车上收不到
　　无线电广播？ 104
为什么自动电梯能把
　　人送上楼？ 106
鞭炮为什么会"噼里啪啦"
　　地响？ 108
照哈哈镜为什么会变形？ 110
为什么体温计的水银柱不会
　　自动下降？ 112
运动鞋鞋底为什么装"钉子"？ 114
肥皂泡为什么五颜六色？ 116
自来水是从哪里来的？ 118
为什么自动售货机能识
　　别假硬币？ 120

shài guo de mián bèi
晒过的棉被
wèi shén me yòu ruǎn yòu qīng
为什么又软又轻？

bèi zi gài de shí jiān cháng le
被子盖的时间长了，
jiù huì bèi yā biě wú lùn shì mián de
就会被压瘪，无论是棉的
hái shi huà xiān de dōu yǒu zhè zhǒng
还是化纤的，都有这种
qíng kuàng
情况。

shài bèi zi yǒu liǎng gè mù dì
晒被子有两个目的：
yī shì wèi le chú shī qì èr shì gěi bèi zi yī gè fàng sōng shū zhǎn
一是为了除湿气；二是给被子一个放松舒展
de huán jìng ràng yā biě de bèi zi huī fù tán xìng
的环境，让压瘪的被子恢复弹性。

bèi zi li de shuǐ zhēng qì bèi shì fàng chū lái yǐ hòu xiān wéi
被子里的水蒸气被释放出来以后，纤维
jiù huī fù le yuán yǒu de tán xìng mián bèi shài tài yáng shí mián tāi
就恢复了原有的弹性。棉被晒太阳时，棉胎

我来告诉你 ↘

很多人喜欢起床后就把被子搬到露台上，直到日落之前才收回来。其实，最佳的晾晒时间是中午 11 点到下午 2 点。通常棉纤维在阳光下晒三四个小时就会达到一定程度的膨胀，有很好的晾晒效果。而棉被晾晒时间过长、次数过多，则会导致其棉纤维缩短而引起脱落。

kǒng xì zhōng de kōng qì
孔隙中的空气
bèi jiā rè tǐ jī péng
被加热，体积膨
zhàng shǐ mián tāi biàn de
胀，使棉胎变得
péngsōng lěng què hòu
蓬松。冷却后，
mián tāi kě yǐ róng nà
棉胎可以容纳
gèng duō kōng qì kōng qì
更多空气。空气

sàn rè de sù dù màn suǒ yǐ shài guo tài yáng de mián bèi bù jǐn yòu
散热的速度慢，所以晒过太阳的棉被，不仅又
ruǎn yòu qīng ér qiě gài qǐ lái nuǎnhuo duō le
软又轻，而且盖起来暖和多了。

tóng shí bǎ mián bèi fàng zài tài yáng xià shài hái yǒu shā jūn de zuò
同时，把棉被放在太阳下晒还有杀菌的作
yòng zhè shì yóu yú yángguāngzhōng
用。这是由于阳光中
de zǐ wài xiàn shǐ de mián tāi kǒng
的紫外线使得棉胎孔
xì zhōng de bù fen kōng qì zhuǎnhuà
隙中的部分空气转化
wéi chòuyǎng chòuyǎng kě yǐ shā
为臭氧，臭氧可以杀
jūn suǒ yǐ gé yī duàn shí jiān
菌。所以，隔一段时间
wǒ men jiù yào jiāng bèi zi ná chū lái
我们就要将被子拿出来
shài yī shài
晒一晒。

小博士

晒完被子后，用力拍打上面的灰尘，这样做对吗？

A.对。

B.不对。

答案：B。棉花的纤维粗而短，拍打容易碎落；合成纤维做成的被子拍打容易使材质变形。正确的做法是用扫帚扫去被子上的浮尘。

保温瓶为什么能保温?

保温瓶主要用于热水保温,故又称"热水瓶"。保温瓶为什么能保温呢?这跟它的构造有关。

保温瓶的构造并不复杂。保温瓶中间为双层玻璃瓶胆,两层之间抽成真空,这是为了防止发生热对流。

而且,瓶胆上还镀了银或铝。因为玻璃本身是热的不良导体,镀银的玻璃则可以将容器内部向外辐射的热能反射回去。

反过来,如果瓶内储存冷的液体,这种玻

我来告诉你

制作保温瓶外壳的材料有竹编、塑料、铁皮、锯、不锈钢等。保温瓶瓶口有一橡胶垫圈,瓶底有一碗形橡胶垫座,这是为了固定玻璃瓶胆,以防它与外壳碰撞。现代的保温瓶是英国物理学家詹姆斯·杜瓦爵士于1892年发明的,当时主要是用于科学研究。

生活百科知多少

lí yòu kě yǐ fáng zhǐ wài miàn
璃又可以防止外面

de rè néng fú shè dào píng nèi
的热能辐射到瓶内。

bǎo wēn píng de píng sāi
保温瓶的瓶塞

tōng cháng yǐ ruǎn mù huò sù liào
通常以软木或塑料

zhì chéng zhè liǎng zhǒng cái liào
制成，这两种材料

yě dōu bù yì dǎo rè
也都不易导热。

bǎo wēn píng de bǎo wēn   bǎo lěng gōng néng zuì chà de dì fang shì
保温瓶的保温、保冷功能最差的地方是

píng jǐng zhōu wéi   rè liàng duō zài gāi chù jiè zhù chuán dǎo fāng shì liú tōng
瓶颈周围，热量多在该处借助传导方式流通。

yīn cǐ   zhì zào bǎo wēn píng shí zǒng shì jǐn kě néng de suō duǎn
因此，制造保温瓶时总是尽可能地缩短

píng jǐng   róng liàng yuè dà   píng kǒu
瓶颈。容量越大，瓶口

yuè xiǎo de bǎo wēn píng   bǎo wēn xiào
越小的保温瓶，保温效

guǒ yù hǎo   zhèng cháng qíng kuàng
果愈好。正常情况

xià   bǎo wēn píng zài shí èr gè xiǎo
下，保温瓶在十二个小

shí zhī nèi kě shǐ píng nèi de lěng
时之内可使瓶内的冷

yǐn bǎo chí zài   zuǒ yòu   kāi
饮保持在4℃左右；开

shuǐ zài   zuǒ yòu
水在60℃左右。

rè shuǐ píng de sāi zi
热水瓶的塞子
wèi shén me huì tiào qǐ lái
为什么会跳起来?

dào wán kāi shuǐ jiāng rè shuǐpíng sāi zi gài shàng de shí hou sāi
倒完开水,将热水瓶塞子盖上的时候,塞

zi yǒu shí hou huì tū rán tiào qǐ lái xià wǒ men yī tiào dà jiā yī
子有时候会突然跳起来吓我们一跳。大家一

dìng hěn hào qí wèi shén me rè shuǐpíng sāi zi huì wú yuán wú gù de zì
定很好奇:为什么热水瓶塞子会无缘无故地自

jǐ tiào qǐ lái ne
己跳起来呢?

zhè shì yīn wèi zài wǎng rè shuǐpíng li guàn shuǐ de shí hou yī
这是因为,在往热水瓶里灌水的时候,一

xiē lěngkōng qì qiāoqiāo liū jìn le rè shuǐpíng li dāng gài shàng sāi zi
些冷空气悄悄溜进了热水瓶里,当盖上塞子

de shí hou rè shuǐpíng nèi de lěngkōng qì yù rè tǐ jī péngzhàng le
的时候,热水瓶内的冷空气遇热体积膨胀了。

ér píng li de kōng jiān bǎo chí bù biàn lěngkōng
而瓶里的空间保持不变,冷空

qì wú fǎ zài zài píng li dài xià qù le jiù
气无法再在瓶里待下去了,就

我来告诉你

热水瓶塞子是用软木做成的。软木是橡树
的保护层,即树皮,俗称"栓皮栎"。软木的厚度
一般为4~5厘米厚,优质的软木可达到8~9厘
米厚,每隔9年采剥一次,采剥后橡树仍会继续
生长出新的树皮。据说每棵橡树总共可以采剥
10~12次,所以非常的环保。

小博士

热水瓶塞子能治蚊子叮咬吗?

A.能。

B.不能。

答案:A。夏天被蚊子叮咬后,取下热水瓶的塞子,放在蚊子叮咬处二三秒钟,然后拿掉,再放上,这样连续几次,剧烈的瘙痒会立即消失。

yòng lì xiàng píng kǒu chōng dāng péng zhàng de
用力向瓶口冲。当膨胀的
yā lì dà yú sāi zi de mó cā
压力大于塞子的摩擦
lì shí sāi zi jiù tiào qǐ lái le
力时,塞子就跳起来了。
yīn cǐ wǒ men zài gài píng
因此,我们在盖瓶
gài shí kě xiān shāo wēi liú yī diǎn
盖时,可先稍微留一点
fèng xì bìng qīng qīng yáo huàng yī
缝隙,并轻轻摇晃一
xià píng shēn ràng píng li de kōng
下瓶身,让瓶里的空
qì pǎo chū lái zài gài jǐn píng
气跑出来,再盖紧瓶
gài zhè yàng sāi zi jiù bù huì tiào qǐ lái le
盖,这样塞子就不会跳起来了。
lìng wài wǒ men dǎ shuǐ shí shuǐ bù yào
另外,我们打水时,水不要
dǎ de tài mǎn bìng bù shì rè shuǐ píng de rè
打得太满。并不是热水瓶的热
shuǐ yuè duō bǎo wēn de shí jiān yuè cháng rú guǒ
水越多,保温的时间越长。如果
xiǎng ràng rè shuǐ bǎo wēn de shí jiān cháng yī xiē
想让热水保温的时间长一些,
zuì hǎo zài sāi zi hé shuǐ miàn jiān liú yī diǎn kōng
最好在塞子和水面间留一点空
qì zhè yàng rè shuǐ huì lěng de màn yī xiē
气。这样,热水会冷得慢一些。

diàn dēng pào wèi shén me huì fā guāng
电灯泡为什么会发光？

diàn dēng pào de zhǔn què jì shù míng chēng wéi bái chì dēng diàn
电灯泡的准确技术名 称为"白炽灯"。电

dēng pào wài wéi yóu bō li zhì zuò zhōng jiān shì chǔ zài zhēn kōng huò dī
灯泡外围由玻璃制作，中间是处在真空或低

yā de duò xìng qì tǐ zhī zhōng de dēng sī
压的惰性气体之中的灯丝。

dēng pào zhōng de zhēn kōng huán jìng hé duò xìng qì tǐ de zuò yòng
灯泡中的真空环境和惰性气体的作用

shì fáng zhǐ dēng sī zài gāo wēn xià bèi yǎng huà
是防止灯丝在高温下被氧化。

dēng pào wèi shén me huì fā guāng ne yuán lái dēng pào nèi de
灯泡为什么会发光呢？原来，灯泡内的

dēng sī wū sī jù yǒu yī dìng de diàn zǔ diàn liú tōng guò diàn
灯丝——钨丝，具有一定的电阻，电流通过电

zǔ fā rè gēn jù jiāo ěr dìng lǜ yī dìng shí jiān nèi rè néng de dà
阻发热。根据焦耳定律，一定时间内热能的大

xiǎo děng yú dēng sī de diàn zǔ zhí chéng yǐ liú guò dēng sī de diàn liú de
小等于灯丝的电阻值乘以流过灯丝的电流的

píng fāng
平方。

我来告诉你 ↘

现在家用电灯仍然是以普通白炽灯为主。而户外的照明街灯则是以钠灯为主。低压钠灯发出的是单调的橙色光线，但是它的效率却非常高，比普通电灯泡高出约十五倍。高压钠灯的透雾能力强，不诱虫，颜色较为丰富。

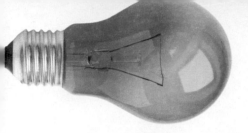
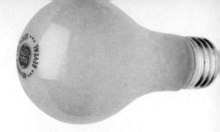

ér gēn jù sī niè fān bō ěr zī màn
而根据斯涅藩—波尔兹曼
dìng lǜ jí wù tǐ wēn dù yuè
定律，即物体温度越
gāo qí fú shè chū de néngliàng
高，其辐射出的能量
yě jiù yuè dà yīn cǐ dēngpào
也就越大，因此灯泡
fā guāng yǔ tā fā rè yǒuguān
发光与它发热有关。

zōngshàngsuǒ shù wǒ men
综上所述，我们
kě yǐ zhī dàodēngpào shì yóu
可以知道灯泡是"由
rè ér fā guāng dāng wǒ men
热而发光"。当我们

dǎ kāi diàndēng kāi guān shí huì yǒu diàn liú tōngguò diàn xiàn jìn rù dào
打开电灯开关时，会有电流通过电线进入到
dēngpào li diàn liú tōngguò wū sī shí huì yǐn qǐ wū sī nèi de
灯泡里。电流通过钨丝时，会引起钨丝内的
diàn zǔ fā rè dāng tā de wēn dù shēngdào
电阻发热。当它的温度升到
yī dìngchéng dù hòu jiù huì shì fàng chū rè
一定程度后，就会释放出热
liàng fā chūliàngguāng
量，发出亮光。

rú jīn jiā jū diàndēngréng shì yǐ pǔ
如今，家居电灯仍是以普
tōng bái chì dēng wéi zhǔ xiàn dài bái chì dēng
通白炽灯为主。现代白炽灯
yī bānshòumìng wéi xiǎo shí zuǒ yòu
一般寿命为1000小时左右。

油锅着火为什么不能用水灭?

在我们做饭炒菜的时候，有时油锅会突然起火，这时千万不能用水灭火。这是为什么呢?

原来，油的密度小于水，相同体积的油比水轻。将水倒入着火的油锅里，油就会浮在水面上继续燃烧，这时水起不到灭火的作用，相反会因为加了水而增大着火面积，导致火势更旺。那么，我们应该怎么做呢?

其实油锅着火时，只要立即用锅盖盖住锅，隔绝空气使火缺少燃烧条件，这样火就会

我来告诉你 ↘

灭火的基本方法:冷却法,如用水扑灭一般固体物质的火;窒息法,如用二氧化碳、氮气、水蒸气等来降低氧浓度;隔离法,如用泡沫灭火器灭火,把可燃物同火焰和空气隔离开来;化学抑制法,如用干粉灭火器通过化学作用,破坏燃烧的链式反应,使燃烧终止。

miè le
灭了。

lìng wài wǎng yóu guō li
另外，往油锅里

dào cài yě kě yǐ qǐ dào miè huǒ
倒菜也可以起到灭火

de zuò yòng
的作用。

tè bié yào tí xǐng dà jiā
特别要提醒大家

de shì   yóu guō záo huǒ qiè bù
的是：油锅着火切不

kě yòng shǒu qù duān guō   yǐ miǎn
可用手去端锅，以免

zào chéng bào jiàn zhuó shāng rén   tóng shí hái yǒu kě néng kuò dà huǒ shì
造成爆溅灼伤人，同时还有可能扩大火势。

rú guǒ yóu huǒ sǎ zài zào jù huò dì miàn shang   kě shǐ yòng shī
如果油火撒在灶具或地面上，可使用湿

mián bèi   shī máo tǎn děng wǔ gài
棉被、湿毛毯等捂盖

miè huǒ
灭火。

dāng rán   yě kě yǐ yòng
当然，也可以用

miè huǒ qì   duì zhǔn zháo huǒ diǎn pēn
灭火器对准着火点喷

shè miè huǒ
射灭火。

生活百科知多少

小博士

你知道发生火灾时，应打什么电话报警吗？

A.119。

B.122。

答案：A。发生火灾时拨打119报警，要向接警中心讲清失火地址、引起火灾的原因、火势大小等。122是交通事故报警电话。

水壶里为什么长有水垢？
shuǐ hú li wèi shén me zhǎng yǒu shuǐ gòu

水壶用久了，内壁会长出一层厚厚的白色硬壳，这就是水垢。

这种现象说明，看起来透明清澈的水里其实含有杂质。

含有钙、镁、盐等物质的水叫"硬水"。河水、湖水、井水和泉水等都是硬水。自来水是河水、湖水或者井水经过沉淀，除去泥沙，消毒杀菌后得到的，所以它是硬水。硬水里面含有一种叫

我来告诉你 ↘

水垢是有害的。首先，硬垢的导热性很差，会浪费燃料或电力。其次，由于热胀冷缩原理和受力不均，硬垢可能会让热水器和锅炉爆裂甚至爆炸。再次，硬垢胶结时，也常常会附着大量重金属离子，如果该容器用于盛装饮用水，会有重金属离子过多溶于饮用水的危险。

tàn suān qīng gài　de huà hé wù　tā néng
"碳酸氢钙"的化合物。它能

róng jiě zài shuǐ zhōng suǒ yǐ wǒ men
溶解在水中,所以我们

kàn bù dào tā
看不到它。

shāo shuǐ de shí hou　shuǐ wēn
烧水的时候,水温

yī shēng gāo　shuǐ zhōng de tàn suān
一升高,水中的碳酸

qīng gài jiù huì fā shēng biàn huà
氢钙就会发生变化,

fēn jiě chéng shuǐ　èr yǎng huà tàn
分解成水、二氧化碳

hé tàn suān gài　shuǐ liú zài le
和碳酸钙。水留在了

shuǐ hú zhōng　èr yǎng huà tàn dōu pǎo dào kōng qì zhōng qù le　ér tàn
水壶中,二氧化碳都跑到空气中去了,而碳

suān gài què chén diàn zài le shuǐ hú dǐ bù　shí jiān jiǔ le　tàn suān
酸钙却沉淀在了水壶底部。时间久了,碳酸

gài yuè jī yuè duō　jiù xíng chéng le hòu hòu de shuǐ gòu
钙越积越多,就形成了厚厚的水垢。

chú qù shuǐ gòu de fāng fǎ hěn jiǎn dān
除去水垢的方法很简单,

zài shuǐ hú zhōng jiā shí cù jìn pào　rán hòu
在水壶中加食醋浸泡,然后

yòng qīng shuǐ qīng xǐ　zhè yàng jiù néng
用清水清洗,这样就能

qīng sōng chú qù shuǐ gòu le
轻松除去水垢了。

生活百科知多少

为什么炒菜用铁锅好？

一般家庭炒菜都提倡用铁锅，为什么炒菜用铁锅好呢？

因为用铁锅炒菜，炒出的菜中含有对人体有益的物质——铁。有人曾做过一项试验：用铁锅炒洋葱，将油和洋葱加热2分钟后，洋葱的含铁量提高了1~2倍。

铁是一种人体必需的微量元素。在人体内，血红蛋白分子是吸收与释放氧的"机器"，而铁既是制造血红蛋白分子的原料，又是这种分子的"核心"。有了它，氧才会跑遍全身；

我来告诉你 ↘

铁锅受潮很容易出现锈斑。用装有茶叶渣的纱布包擦拭铁锅，便能防止铁锅生锈。如果铁锅已经生锈，可将铁锅烧热，以布蘸醋擦拭，一擦即去，既简单快捷又彻底。每次用完铁锅不要洗得太干净了，留点油也可以防锈。

失去它，血红蛋白便失去了"拉住"氧气分子的本领，危及生命。所以，炒菜用铁锅比较好。

有的人习惯用铝锅炒菜，认为铝锅薄，传热快，既省燃料又省时间。但研究表明，长期使用铝制炊具会导致铝摄入过量，危害人体健康。长期用铝制炊具的人发生老年痴呆的几率也要高于常人。因此，炒菜还是用铁锅好。

小博士

买铁锅时，买薄的好还是厚的好？

A. 厚的。

B. 薄的。

答案：B。锅有厚薄之分，以薄为好。有的铁锅可能一边厚一边薄，这是模型错位所致，这种厚薄不均的锅不好。

鸡蛋为什么会在盐水中上浮？

将鸡蛋放在淡水中它会沉下去，可是把鸡蛋放在盐水中它却浮了起来，这是为什么呢？

原来，盐水的密度比淡水的密度大。同体积的物体，密度越大，所受浮力越大。当鸡蛋所受浮力大于鸡蛋自身重力时，就会上浮。鸡蛋的密度大于 $1g/cm^3$，而淡水的密度约等于 $1g/cm^3$，所以鸡蛋在淡水中下沉。而盐水的密度大于鸡蛋的密度，因此鸡蛋在盐水中上浮。

我来告诉你 ↘

鸡蛋是人类最好的营养来源之一。鸡蛋中含有大量的维生素和矿物质及有高生物价值的蛋白质。对人而言，鸡蛋的蛋白质品质佳而热量低。一个鸡蛋所含的热量，只相当于半个苹果或半杯牛奶的热量，而它所含有的营养物质却是比较全面的。

你知道吗 ↘

有些人喜欢吃生鸡蛋,觉得鸡蛋煮熟后营养成分就被破坏了,认为鸡蛋生吃比熟吃更补身体。其实,这种吃法非但无益,反而有害。生鸡蛋中含有寄生虫,生吃很容易引起寄生虫病、肠道病或食物中毒,而且生鸡蛋的腥味还可能抑制中枢神经,使人食欲减退,有时甚至会引起呕吐。另外,生鸡蛋清中含有一种叫"抗生物素"的物质,它会妨碍人体对鸡蛋黄所含营养的吸收。

饺子熟了为什么会浮上水面？

煮饺子的时候，把饺子放进水里，它们就沉下去了，饺子熟的时候它又会浮上水面。这是为什么呢？

饺子在制作过程中，内部会混进微量空气。刚投入水中时，由于饺子的密度比水大，浮力小于重力，所以很容易就会沉到锅底。

当饺子煮熟后，它内部的气体和肉质同时膨胀，整个饺子的体积就会增大许多，其排水量也随之增大。根据阿基米德原理可知，

我来告诉你 ↘

饺子源于古代的角子。早在三国时期，魏张揖所著的《广雅》一书中，就提到这种食品。据考证，它是由南北朝至唐朝时期的"偃月形馄饨"和南宋时的"燥肉双下角子"发展而来的，距今已有一千四百多年的历史了。千百年来，饺子作为贺岁食品，受到人们的喜爱，流传至今。

dāng jiǎo zi de fú lì dà yú tā
当饺子的浮力大于它
de zhòng lì shí   jiǎo zi jiù huì
的重力时，饺子就会
shàng fú
上浮。

jiǎo zi zhǔ de fú qǐ lái le
饺子煮得浮起来了
jiù yí dìng shú le ma   zhè shì bù
就一定熟了吗？这是不
yí dìng de   dàn shì wǒ men kě yǐ gēn jù jiǎo zi cǐ shí de xíng tài
一定的。但是我们可以根据饺子此时的形态
lái pàn duàn jiǎo zi shì fǒu shú le   jù tǐ fāng fǎ shì   lāo qǐ fú qǐ
来判断饺子是否熟了。具体方法是：捞起浮起
lái de jiǎo zi   yòng kuài zi àn yí xià   rú guǒ mǎ shàng néng huī fù
来的饺子，用筷子按一下，如果马上能恢复
yuán zhuàng jiù shú le   rú guǒ tā xiàn   jiù méi shú
原状，就熟了；如果塌陷，就没熟。

suǒ yǐ   yǒu jù zhǔ jiǎo zi
所以，有句煮饺子
de kǒu jué shì   gài gài er zhǔ
的口诀是："盖盖儿煮
pí   kāi gài er zhǔ xiàn
皮，开盖儿煮馅。"

19

小博士

只有中国人在春节时吃
饺子吗？

A.外国人也吃饺子。

B.是的，只有中国人吃。

答案：A。许多外国人与
中国人一样，每逢春节也吃
饺子。但是，他们的做法和
吃法与中国不同，比如印度
的饺子是烤着吃的。

为什么装在罐头里的食品不容易坏？

很多食品放了一段时间后，就会变质。可是我们从商店买来的罐头食品只要不打开，就能存放很长时间而不会变质。这是为什么呢？

这是由于两方面的原因：其一，高温消毒和空气隔绝。食品在装罐前要进行严格的消毒，即消灭食品中的大量细菌。另一方面，要防止细菌的生长就要将食物与细菌生长所需的空气隔离开。于是，人们就把经过高温

我来告诉你

罐头食品也是中国众多食品中最先打入国际市场、产品质量较早与国际接轨的一种商品。罐头行业一直保持着较快的发展速度。但我国罐头消费水平还很低，以人均年消费量计算，美国为90千克，日本为23千克，我国仅为1千克。因此可见，国内市场尚未真正启动，潜力巨大。

xiāo dú de shí pǐn fàng dào mì fēng
消毒的食品放到密封
de guàn tou li zhèyàng wàimiàn
的罐头里。这样，外面
de xì jūn jiù bù róng yì zuān jìn
的细菌就不容易钻进
guàn tou li guàn tou li de shí pǐn
罐头里，罐头里的食品
yě jiù bù róng yì huài le
也就不容易坏了。

yǒu rén huì rèn wéi guàn tou
有人会认为，罐头
jiù shì shí pǐn de bǎo xiǎnxiāng
就是食品的"保险箱"。

qí shí yě bù shì guàn
其实也不是。罐

tou shí pǐn cún fàng shí jiān tài cháng yě huì huài de yīn wèi zài mì
头食品存放时间太长，也会坏的。因为在密
fēng de guàn tou lǐ miàn yě huì yǒu shǎo liàng de kōng qì shí jiān yī
封的罐头里面也会有少量的空气。时间一
cháng xì jūn jiù huì zài guàn tou li fán zhí shǐ shí pǐn biàn zhì rú
长，细菌就会在罐头里繁殖，使食品变质。如
guǒ zhuāng shí pǐn de guàn tou
果装食品的罐头
gài xià dǐ gǔ qǐ lái le jiù
盖下底鼓起来了，就
shuō míng shí pǐn biàn zhì le
说明食品变质了，
yǐ jīng bù néng shí yòng le
已经不能食用了。

夏天食物为什么容易变坏?

在炎热的夏天,如果我们不冷藏食物,食物很快就会变坏。常常上午没有吃完的饭菜,到晚上就只能倒掉了。你知道这是为什么吗?

原来,这是微生物在"捣鬼"。环境中无处不在的微生物,只要温度适宜,就会迅速地生长繁殖,分解食物中的营养,以满足自身的需求。

此时,食物中的蛋白质被分解成分子量极小的物质,最终分解成肽类、有机酸,食物

我来告诉你

松花蛋是用碱性物质浸制而成,蛋内饱含水分,若放在冰箱内贮存,水分就会逐渐结冰,从而改变松花蛋原有的风味。另外低温还会影响松花蛋的色泽,容易使松花蛋变成黄色。所以,松花蛋不宜存放在冰箱里。我们可以将松花蛋放在塑料袋内密封保存。

huì fā chū chòu wèi jí suān wèi bìng shī qù le yuányǒu de rèn xìng jí tán
会发出臭味及酸味,并失去了原有的韧性及弹

xìng qiě yán sè yì cháng
性,且颜色异常。

xià tiān wèi le bù ràng shí
夏天,为了不让食

wù tài kuàibiànhuài wǒ men chī dōng
物太快变坏,我们吃东

xi shí yào tè bié zhù yì shí wù
西时要特别注意,食物

jìn liàng zài dàngtiān chī wán yóu qí
尽量在当天吃完,尤其

shì suānxìng shí wù rú guǒyǒushèng
是酸性食物,如果有剩

yú de shí wù yào jí shí fàng rù
余的食物,要及时放入

bīngxiāng li rú guǒ méi yǒu bīng
冰箱里。如果没有冰

生活百科知多少

23

xiāng kě yǐ bǎ shí wù fàng zài tōngfēng de dì fanghuò shì yīn liáng de
箱,可以把食物放在通风的地方或是阴凉的

dì fang zhèyàng shí wù jiù kě yǐ cúnfàng de jiǔ yī diǎn
地方,这样食物就可以存放得久一点。

lìng wài yě kě yǐ jiāng chī shèng de shí wù zài fàng rù guō li
另外,也可以将吃剩的食物再放入锅里

wánquán jiā rè zhèyàng shí wù
完全加热。这样,食物

yě bù nà me róng yì biànhuài le
也不那么容易变坏了。

用筷子对孩子有什么好处?

筷子是中国的一绝,代表着中国人的智慧。中国人为什么要用筷子吃饭?使用筷子吃饭又有什么好处呢?

原来,使用筷子可以促进手、眼的协调能力。眼和手的配合,可以提高孩子对物体间复杂关系的分析能力,还可以发展孩子的知觉和提高孩子的形象思维能力。

另外,使用筷子还可以强化手的精细协调性。使用筷子夹食物时,不仅孩子拇指和其余四根手指对物体的抓握能力能够得到锻炼,

我来告诉你 ↘

我国使用筷子的历史可追溯到商代。《史记·微子世家》中有"纣始有象箸"的记载,先秦时期称筷子为"挟",秦汉时期叫"箸"。古人十分讲究忌讳,因"箸"与"住"字谐音,"住"有停止之意,乃不吉利之语,所以就反其意而称之为"筷"。这就是筷子名称的由来。

而且腕、肩及肘关节的协调性也能得到锻炼。

因此，在使用筷子这一复杂而精细的运动中，孩子手的功能得到了极大的锻炼，同时也刺激了孩子大脑皮层相应区域的发育。

而且，使用筷子还可以起到促进视觉发育、健脑益智的作用。使用筷子需要依赖手部的精细动作和眼睛的视觉定位，即两眼注视同一目标，再将它们分别所得的物像融合成具有三维空间完整的像。这样就刺激了大脑皮层相应区域的发育，从而起到健脑益智的作用。

小博士

家里用的筷子最好多长时间更换一次？

A.3 年。

B.半年。

答案：B。筷子用久了容易变粗糙，出现许多细小的凹槽，非常容易残留细菌。因此，筷子最好每半年更换一次。

shāng pǐn shang wèi shén me
商品上为什么
shǐ yòng tiáo xíng mǎ
使用条形码?

shāng pǐn shang de tiáo xíng mǎ shì yóu yī zǔ àn yī dìng guī zé pái
商品上的条形码是由一组按一定规则排
liè de tiáo kòng jí duì yìng zì fú ā lā bó shù zì suǒ zǔ chéng
列的条、空及对应字符(阿拉伯数字)所组成
de yī zhǒng biāo jì shāng pǐn shang wèi shén me yào shǐ yòng tiáo xíng mǎ
的一种标记。商品上为什么要使用条形码
ne
呢?

shāng pǐn tiáo xíng mǎ shì shí xiàn shāng yè xiàn dài huà de jī chǔ
商品条形码是实现商业现代化的基础,
shì shāng pǐn jìn rù chāo jí shì chǎng sǎo miáo shāng diàn de rù
是商品进入超级市场、POS扫描商店的"入
chǎng quàn
场券"。

zài sǎo miáo shāng diàn dāng gù kè cǎi gòu shāng pǐn wán bì dào shōu
在扫描商店,当顾客采购商品完毕到收
yín tái qián fù kuǎn shí shōu yín yuán zhǐ yào ná zhe dài yǒu tiáo xíng mǎ de
银台前付款时,收银员只要拿着带有条形码的

我来告诉你

条形码的制作一般用印刷或通过条码打印
机打印条形码。条码打印机和普通打印机的最
大区别就是,条码打印机的打印是以热为基础,
以碳带为打印介质完成打印,配合不同材质的
碳带可以实现高质量的打印效果和在无人看管
的情况下实现连续高速打印。

小博士

商品上的条形码可以改吗？

A.不能，它具有永久性。

B.可以更改。

答案：A。产品代码一经分配，就不再更改，并且是终身的。某产品不再生产时，其代码只能搁置，不得再分配给其他商品使用。

shāng pǐn zài zhuāng yǒu jī guāng
商品在装有激光

sǎo miáo qì de tái shang qīng qīng
扫描器的台上轻轻

lüè guò jiù néng jiāng tiáo xíng mǎ
掠过，就能将条形码

xià fāng de shù zì kuài sù de shū
下方的数字快速地输

rù diàn zǐ jì suàn jī tōng guò chá
入电子计算机，通过查

xún hé shù jù chǔ lǐ jī qì jiù
询和数据处理，机器就

huì lì jí shí bié chū shāng pǐn de
会立即识别出商品的

zhì zào chǎng shāng míng chēng jià
制造厂商、名称、价

gé děng shāng pǐn xìn xī bìng dǎ yìn chū gòu wù qīng dān
格等商品信息，并打印出购物清单。

zhè yàng bù jǐn kě yǐ shí xiàn shòu huò cāng chǔ hé dìng huò de
这样，不仅可以实现售货、仓储和订货的

zì dòng huà guǎn lǐ ér qiě tōng guò chǎn gōng xiāo xìn xī xì tǒng shǐ
自动化管理，而且通过产、供、销信息系统，使

xiāo shòu xìn xī jí shí wéi shēng
销售信息及时为生

chǎn chǎng shāng suǒ zhǎng wò
产厂商所掌握。

shǐ yòng tiáo xíng mǎ sǎo miáo shì
使用条形码扫描是

jīn hòu shì chǎng liú tōng de qū
今后市场流通的趋

shì suǒ zài
势所在。

为什么肥皂能把脏东西洗掉？

肥皂就像是脏东西的"天敌"。如果衣服上沾了油污，只要用水浸泡几分钟，再擦上肥皂搓一搓，然后用水一冲，衣服就会变得很干净了。

肥皂里的成分由一种特殊的分子链构成。分子可以分成两个部分；一端是亲水部位，另一端为亲油部位。肥皂能破坏水的表面张力，当肥皂分子进入水中时，具有极性的亲水部位会破坏水分子间的吸引力，使水的

我来告诉你

早期的肥皂是奢侈品。1791年，法国化学家卢布兰用电解食盐方法廉价制取火碱成功，从此结束了从草木灰中制取碱的古老方法。1823年，德国化学家契弗尔发现脂肪酸的结构和特性，肥皂即是脂肪酸的一种。19世纪末，制皂工业由手工作坊最终转化为工业化生产。

biǎo miàn zhāng lì jiàng dī
表面张力降低，
jiāngshuǐ fēn zǐ píng jūn de fēn
将水分子平均地分
bù zài dài qīng xǐ de yī wù
布在待清洗的衣物
huò pí fū biǎomiàn
或皮肤表面。

féi zào de fēn zǐ liàn
肥皂的分子链
zài shuǐzhōng yù dàozāngdōng xi rú yī fú shang de yóu wū qīn shuǐ
在水中遇到脏东西，如衣服上的油污，亲水
bù wèi jiù huì pǎo guò qù bǎ yóu wū tuántuán wéi zhù ér qīn yóu
部位就会"跑"过去，把油污团团围住，而亲油
bù wèi jiù pǎo guò qù zhuāzhù yóu wū zhè shí wǒ men zhǐ yào qīng
部位就"跑"过去抓住油污。这时，我们只要轻
qīng róu cuō jǐ yā yóu wū jiù huì yī diǎndian de cóng yī fu shangdiào
轻揉搓、挤压，油污就会一点点地从衣服上掉
xià lái piāo fú zài shuǐzhōng yóu
下来、漂浮在水中。油
wū jiù zhèyàngbèi xǐ diào le wǒ
污就这样被洗掉了，我
men de yī fú jiù huì hěngānjìng le
们的衣服就会很干净了。

bù zhǐ féi zào néng bǎ zāng
不只肥皂能把脏
dōng xi xǐ diào xǐ yī fěn yě néng
东西洗掉，洗衣粉也能
bǎ zāngdōng xi xǐ diào tā men de
把脏东西洗掉，它们的
gōngzuòyuán lǐ yī yàng
工作原理一样。

29

小博士

最早的肥皂起源于哪里？

A.中国。

B.西亚的美索不达米亚。

答案：B。据史料记载，最早的肥皂配方起源于西亚的美索不达米亚，即幼发拉底河和底格里斯河之间。

为什么有时突然往玻璃杯里倒开水，玻璃杯会裂？

大家也许有过这样的体验：往玻璃杯里倒开水时，杯子突然炸裂了。为什么玻璃杯会炸裂呢？

不管是什么物体，只要受热就会膨胀。只是有些物体的膨胀我们用肉眼看不出来，玻璃就是这样。

把滚烫的开水倒进玻璃杯的时候，杯子碰到开水的地方马上变热，所以鼓得很快。没有碰到开水的地方未变热，所以不会鼓起来。

我来告诉你 ↘

玻璃杯不仅通透好看，在所有材质的杯子里，玻璃杯是最健康的。玻璃杯不含有机化学物质，当人们用玻璃杯喝水或其他饮品的时候，不必担心化学物质会被喝进肚子里。而且玻璃表面光滑，容易清洗，所以人们用玻璃杯喝水既健康、安全，又方便。

rú guǒ shuō gǔ qǐ lái de dì fang shì pàng zi nà me méi
如果说，鼓起来的地方是"胖子"，那么没

yǒu gǔ qǐ lái de dì fang jiù shì shòu zi ér wǒ men zhī dào zuò
有鼓起来的地方就是"瘦子"。而我们知道，坐

gōnggòng qì chē de shí hou pàng zi yīn
公共汽车的时候,胖子因

wèi zuò wèi tài xiǎo zhǐ hǎo pīn mìng
为座位太小,只好拼命

jǐ pángbiān de shòu zi yǒu shí
挤旁边的瘦子, 有时

houshòu zi bèi jǐ de shòu bù liǎo
候瘦子被挤得受不了,

zhǐ hǎozhàn qǐ lái
只好站起来。

tóngyàngdào lǐ bō li
同样道理, 玻璃

bēi gǔ qǐ lái de dì fang yě huì
杯鼓起来的地方,也会

pīn mìng jǐ yā méiyǒu gǔ qǐ lái
拼命挤压没有鼓起来

小博士

倒水时，是薄的玻璃杯容易破还是厚的玻璃杯容易破呢?

A.薄的。

B.厚的。

答案:B。同质的玻璃越厚，导热性越差。薄的玻璃杯热传递快,相对于厚的玻璃杯,它破裂的机会少一些。

de dì fang yǒu shí hou bēi zi shòu bù liǎo zhèzhǒng yā lì jiù huì
的地方。有时候杯子受不了这种压力，就会

pò liè zhè jiù hǎoxiànggōnggòng qì
破裂,这就好像公共汽

chē shang de shòu zi bèi jǐ de zhàn
车上的瘦子被挤得站

qǐ lái yī yàng
起来一样。

为什么冬天脱衣服常会发出"噼啪"声？

生活百科知多少

32

冬天脱衣服时，常发出"噼啪"声，有时甚至会产生电火花。其实，这都是静电现象。

物体在摩擦等外力的作用下会产生电荷。如梳头时，梳子和头发摩擦会放电，人们把这种电称为"静电"。

冬天气候干燥，空气中的水分很少，皮肤很干燥，脱衣服时，衣服摩擦产生静电，就会发出"噼啪"声。而夏天，空气湿度大，摩擦产生的静电会释放到空气中，不会有静电现象。

我来告诉你

在日常生活中，脚下的地毯、日常的塑料用具、锃亮的油漆家具及各种家电均可能出现静电现象，静电可吸附空气中大量的尘埃，而尘埃中往往含有多种有毒物质和病菌，会刺激皮肤，重则使皮肤起疱生疮，更严重的还会引发支气管哮喘和心律失常等病症。

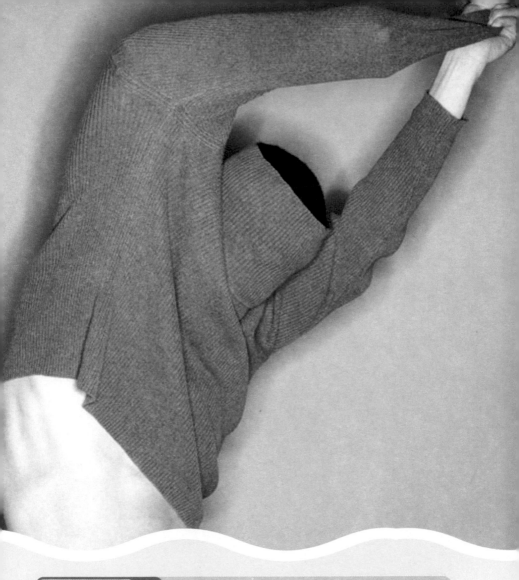

　　静电在我们的日常生活中可以说是无处不在。人在行走、站起等活动中都会产生静电，有时甚至当我们触碰金属时，就会产生电击的疼痛感。防止静电的方法：室内要保持一定的湿度；衣物应尽量穿纯棉制品；多吃蔬菜、水果，多饮水。此外，在室内养鱼或者养花也是不错的选择，这样不仅可以调节室内湿度，还是一种防止静电的好方法。

有雾的天气为何不宜锻炼身体？

yǒu wù de tiān qì

wèi hé bù yí duàn liàn shēn tǐ

盛夏时节气压低，天气常常闷热有雾，许多有晨练习惯的人，在这样的天气条件下，依然进行锻炼。

体育锻炼有益于身体健康，但雾天锻炼对我们的身体却是有害的。

雾的形成首先需要有足够的水蒸气，夜间无风时，空气中有悬浮物质作凝结核。雾形成时一般伴有逆温层存在，这时近地面温度低，越往上温度越高。

我来告诉你 ↘

雾与未来天气变化有着密切的关系。自古以来，我国劳动人民就认识到这一点。民间有许多和雾有关的谚语，如："黄梅有雾，摇船不问路。"这是说春夏之交的雾是雨的先兆，故民间又有"夏雾雨"的说法。又如："雾大不见人，大胆洗衣裳。"这是说冬雾兆晴，其实秋雾也如此。

在这种情况下，大气稳定，对流作用弱，空气中积聚的尘埃、污染物不易被空气流动带走和向高空扩散，而是滞留在近地面。

在这样的环境下，人们出去锻炼身体会很容易吸入尘埃和污染物。

因此，大雾天气人们应减少户外活动时间，在户外时戴上围巾、口罩，保护好皮肤、咽喉、关节等部位，中老年人、儿童、身体虚弱的人更应注重防护。

小博士

你知道雾城是指哪座城市吗？

A.乌鲁木齐。

B.重庆。

答案：B。重庆每年平均云雾天气达170天以上，所以被人们称为"雾城"。

为什么牙刷用久了不利于身体健康？

我国大多数人牙刷的使用时间过长。有人一把牙刷能用几年，殊不知这种习惯对口腔卫生和身体健康很不利。

有牙科专家对使用过的牙刷进行细菌研究，结果表明：新牙刷使用四个星期后，上面就有多种细菌存在。长时间使用这些带有细菌的牙刷，会威胁人体健康，甚至会造成疾病。所以，牙刷使用4~6周后最好换新的，这样有益于口腔健康。

我来告诉你

据美国牙医学会的资料表明，世上第一把牙刷由中国皇帝明孝宗于1498年发明，做法是把短硬的猪鬃毛插在一枝骨制手把上。西方传统清洁牙齿的方法是用一块碎布揉刷牙齿，此方法在古罗马时代已经存在。现代牙刷到17世纪方出现，至19世纪才广泛流行。

另外，牙刷放置在潮湿的地方对健康也不利。比如浴室，它其实是室内最不卫生的地方。每当我们上完厕所冲水的时候，水珠四处飞溅，细菌便会散布到浴室的各个角落。

而且，细菌最易在潮湿的地方生长。那些湿润的牙刷毛很有可能残留一些牙膏和食物的残渣碎屑，加上浴室的再次污染，上面布满了大量的细菌群，人使用这样的牙刷可能引发急性肠胃炎、肺炎等疾病。

因此在日常生活中，不要将牙刷放置在离水源较近的地方。

小博士

你知道一天要刷几次牙吗？

A.两次。

B.一次。

答案：A。一般来说，每天要刷两次牙，早晚各一次。刷牙次数多了对口腔是不利的，少了则达不到清洁牙齿的效果。

wèi shén me kàn diàn shì
为什么看电视
shí bù néng kào de tài jìn
时不能靠得太近？

diàn shì jī de fā guāngyuán lǐ yǔ rì guāngdēng de fā guāngyuán
电视机的发光原理与日光灯的发光原

lǐ jī běnxiāngtóng měibiànhuàn yī gè huàmiàn jiù yǒushǎnshuò bù dìng
理基本相同，每变换一个画面就有闪烁不定

de qiángguāng zhèróng yì shǐ yǎn jingchǎnshēng pí láo
的强光，这容易使眼睛产生疲劳。

kàn diàn shì shí rú guǒ jù lí tài jìn huì jiā kuài yǎn jing pí láo
看电视时如果距离太近，会加快眼睛疲劳

de sù dù suǒ yǐ kàn diàn shì bù néngzuò de tài jìn
的速度，所以看电视不能坐得太近。

zài diàn shì jiē shōu jī zhōngyǒu hěn duōyuán qì jiàn lì rú xiǎn
在电视接收机中有很多元器件，例如显

xiàngguǎn wěn yā guǎndēng dōu huì shì fàngchū gè zhǒngyǒu hài shè xiàn
像管、稳压管等，都会释放出各种有害射线。

zài rén tǐ shòudào zú gòuliàng de yǒu hài shè xiànzhàoshè hòu rén tǐ nèi
在人体受到足够量的有害射线照射后，人体内

de zǔ zhī xì bāo jiù huì fā shēngshuǐ de diàn lí chǎnshēngyǒu hài de
的组织细胞就会发生水的电离，产生有害的

我来告诉你

你听说过"电视人"吗？"电视人"指的是伴随着电视的普及而诞生和成长的一代。他们在电视画面和音响的感官刺激环境中长大，是注重感觉的"感觉人"，与在印刷媒介环境中成长的他们的父辈重理性、重视逻辑思维的行为方式形成鲜明的对比。

化学物质。

这种有害物质将会使细胞的结构和功能发生变化，危及被照射人的身体健康。

而且，孩子越小，身体器官抵抗的能力越弱，就越容易受到射线辐射的伤害。

小博士

可以边吃饭边看电视吗？

A.可以，有利于消化。

B.不好，有很多坏处。

答案：B。边看电视边吃饭不仅影响食欲，还会影响食物的消化与营养的吸收。最好是饭后休息20~30分钟后再看电视。

如果幼儿无节制的长时间近距离看电视，将会导致头痛、近视，甚至是内脏的损害。

因此，看电视时，不能靠得太近，时间也不宜过长。

wèi shén me yào dǎ yù fáng zhēn

为什么要打预防针？

hěn duō chuán rǎn bìng dōu néng yòng dǎ yù fáng zhēn de bàn fǎ lái yù
很多传染病都能用打预防针的办法来预

fáng bìng qiě xiào guǒ bù cuò yīn wèi rén dǎ le mǒu yī zhǒng yù fáng
防，并且效果不错。因为人打了某一种预防

zhēn yī duàn shí jiān hòu shēn shang jiù huì chǎn shēng yī zhǒng dǐ kàng gāi
针，一段时间后身上就会产生一种抵抗该

bìng yuán tǐ de dōng xi zhè zhǒng dōng xi jiào kàng tǐ
病原体的东西，这种东西叫"抗体"。

dāng zhè zhǒng bìng yuán tǐ qīn rù rén tǐ shí kàng tǐ jiù huì xiāo
当这种病原体侵入人体时，抗体就会消

miè bìng yuán tǐ shǐ rén bù dé bìng rú dǎ le jiǎ gān yì miáo shēn
灭病原体，使人不得病。如打了甲肝疫苗，身

tǐ biàn huì chǎn shēng jiǎ gān kàng tǐ yī dàn yǒu jiǎ gān bìng dú qīn rù
体便会产生甲肝抗体，一旦有甲肝病毒侵入

rén tǐ kàng tǐ jiù huì xiāo miè tā
人体，抗体就会消灭它。

yī bān qíng kuàng xià hái zi de dǐ kàng lì chà rú guǒ shòu dào
一般情况下，孩子的抵抗力差，如果受到

xì jūn huò bìng dú de qīn xí jiù kě néng dé bìng dǎ yù fáng zhēn
细菌或病毒的侵袭，就可能得病。打预防针

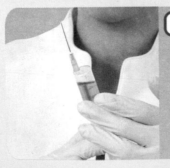

我来告诉你 ↘

疫苗分为两类。第一类疫苗，是指政府免费向公民提供，公民应当依照政府的规定受种的疫苗，包括国家免疫规划确定的疫苗和各地方执行国家免疫规划时增加的疫苗；第二类疫苗，是指由公民自费并且自愿受种的疫苗。

néng zēng qiáng jī tǐ de miǎn yì
能 增 强 机 体 的 免 疫

lì yǐ dǐ kàng mǒu xiē bìng jūn de
力，以 抵 抗 某 些 病 菌 的

qīn xí cóng ér qǐ dào bǎo hù rén
侵 袭，从 而 起 到 保 护 人

tǐ de zuò yòng
体 的 作 用。

dǎ yù fáng zhēn hòu ǒu ěr
打 预 防 针 后 偶 尔

yě huì chǎn shēng yī xiē bù liáng fǎn
也 会 产 生 一 些 不 良 反

yìng rú jú bù fā hóng fā zhàng
应，如 局 部 发 红、发 胀、

lín bā jié zhǒng tòng hé fā rè
淋 巴 结 肿 痛 和 发 热

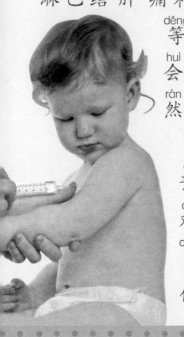

děng dàn yī bān qíng kuàng xià zhèng zhuàng dōu bù
等。但 一 般 情 况 下 症 状 都 不

huì hěn yán zhòng wú xū tè bié chǔ lǐ jiù kě zì
会 很 严 重，无 需 特 别 处 理 就 可 自

rán xiāo shī
然 消 失。

tóng shí wǒ men yě yīng gāi míng bai dǎ
同 时，我 们 也 应 该 明 白，打

yù fáng zhēn chī yù fáng yào bìng bù děng yú jué
预 防 针、吃 预 防 药，并 不 等 于 绝

duì ān quán le wǒ men píng shí hái yīng yǎng
对 安 全 了。我 们 平 时 还 应 养

chéng liáng hǎo de wèi shēng xí guàn jiā qiáng shēn
成 良 好 的 卫 生 习 惯，加 强 身

tǐ duàn liàn
体 锻 炼。

小博士

孩子生病时可以打预防
针吗？

　　A.可以。

　　B.不可以。

　　答案:B。生病时人体抵
抗力减弱，在人抵抗力弱的
时候打疫苗，人体不但不会
产生抗体，还有可能被疫苗
病毒感染而染病。

健康指南掌握好

fā shāo shí wèi shén me
发烧时为什么
kě yǐ yòng jiǔ jīng jiàng wēn
可以用酒精降温?

wǒ men fā shāo de shí hou　　chú le　qù yī yuàn dǎ zhēn chī yào yǐ
我们发烧的时候,除了去医院打针吃药以

wài　hái kě yǐ zài jiā li tōng guò yī xiē jiǎn dān de fāng fǎ jiàng wēn
外,还可以在家里通过一些简单的方法降温。

jiā tíng cháng yòng de wù lǐ jiàng wēn fāng fǎ　yī bān yǒu　jiǔ jīng cā yù
家庭常用的物理降温方法一般有:酒精擦浴、

wēn shuǐ cā yù hé bīng zhěn jiàng wēn sān zhǒng　wèi shén me jiǔ jīng néng gòu
温水擦浴和冰枕降温三种。为什么酒精能够

jiàng wēn ne
降温呢?

yuán lái　　jiǔ jīng jí yì huī fā　　cā zài rén shēn shang de jiǔ
原来,酒精极易挥发。擦在人身上的酒

jīng huī fā shí　néng cóng tǐ biǎo dài zǒu dà liàng rè liàng cóng ér dá dào
精挥发时,能从体表带走大量热量,从而达到

jiàng wēn de mù dì
降温的目的。

ér qiě　　yī dìng nóng dù de jiǔ jīng néng shǐ
而且,一定浓度的酒精能使

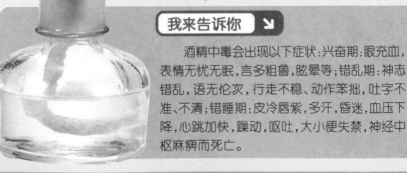

我来告诉你 ↘

酒精中毒会出现以下症状:兴奋期:眼充血,表情无忧无眠,言多粗鲁,眩晕等;错乱期:神志错乱,语无伦次,行走不稳、动作笨拙,吐字不准、不清;错睡期:皮冷唇紫,多汗,昏迷,血压下降,心跳加快,躁动,呕吐,大小便失禁,神经中枢麻痹而死亡。

患者血管扩张，散热能力增强，取得更好的降温效果。

擦酒精时，我们一般采用滚动按摩的方法，即用一块小纱布蘸浸深度为75%的酒精，置于擦浴的部位，先用手指拖擦，然后用掌部作离心式环状滚动，边滚动边按摩，使皮肤毛细血管先收缩后扩张。在促进血液循环的同时，增强机体代谢功能，达到更好的降温效果。并借酒精的挥发作用带走体表的热量而使体温降低。须注意的是酒精能引起酒精中毒，所以婴儿要慎用。

小博士

酒精会影响血糖的高低吗？

A.不会。

B.会。

答案：B。对于习惯用酒精来消毒手指的患者来说，在家测血糖，往往测出来的结果与实际情况偏差很大。

为什么空调房里不宜久待？

炎热的夏天，人们都喜欢待在空调房里。但待的时间长了，就会出现鼻塞、头昏、打喷嚏、耳鸣、乏力、记忆力减退等症状。为什么会出现这些症状呢？

原来，空调启动时，门窗是关闭着的，这样就会造成室内空气不流通。

室内的一氧化碳、氮氧化合物、悬浮颗粒等也随之增多。这些灰尘和细菌会随着冷气飘满房间，危害人体健康。

我来告诉你

空调的普及跟电影院有关。20 世纪 20 年代，电影院利用空调技术，为观众提供凉爽的空气，使空调变得和电影本身一样吸引人，而夏季也取代了冬季成为看电影的高峰季节。随后各地出现了大量全年开放空调的室内娱乐场所，如室内运动场和商场等。

cǐ wài zhuāng yǒu
此外，装有

kōng tiáo de fáng jiān li
空调的房间里

hái yǒu fàng shè xìng qì tǐ
还有放射性气体

dōng tā huì wū rǎn
"氡"，它会污染

shì nèi de kōng qì dǎo
室内的空气，导

zhì rén tǐ li yǒu yì de
致人体里有益的

fù lí zǐ jiǎn shǎo cóng ér zēng dà rén men huàn fèi ái de jī lǜ
负离子减少，从而增大人们患肺癌的几率。

xiǎng yào gǎi shàn shì nèi de kōng qì zhì liàng kě yǐ zài shì nèi
想要改善室内的空气质量，可以在室内

ān zhuāng fù lí zǐ fā shēng qì huò zhě měi tiān zǎo wǎn gè kāi yī cì
安装负离子发生器，或者每天早晚各开一次

mén chuāng huàn qì
门窗换气。

lìng wài zài kōng tiáo de
另外，在空调的

huán jìng xià rén tǐ huì shī shuǐ
环境下，人体会失水

guò duō suǒ yǐ dāi zài kōng tiáo
过多，所以呆在空调

fáng li jí shí bǔ shuǐ shì bì
房里，及时补水是必

bù kě shǎo de
不可少的。

45

小博士

空调机需要清洗吗？

A.需要。

B.不需要。

答案：A。空调机每年清洗2~3次最佳。通常空调开机前清洗一次；空调开机中间时段清洗一次；空调关机时清洗一次，这样比较合理。

为什么剧烈运动后不能马上进食？

剧烈运动后不能马上进食，是因为运动时主管骨骼肌和心肌的大脑皮质中枢处于一种相对兴奋的状态，而其他部位则处于一种相对抑制的状态。

此时，胃肠蠕动减弱，消化液分泌减少，马上进食不利于身体健康。

而且在运动时，大量血液分布在运动系统，消化系统的血液减少，功能减弱，即便停止了运动，在短时间内人体仍处于这种状态。

我来告诉你 ↘

不常锻炼的人进行较剧烈的运动后，局部肌肉就会酸痛，这是因为肌肉活动需要能量。剧烈运动时，肌肉处于暂时缺氧状态，肌糖原只能进行无氧代谢功能，以至肌肉中乳酸大量堆积而不能及时排出。乳酸刺激肌肉的感觉神经，使人感到肌肉酸痛。

为什么饮料
wèi shén me yǐn liào

不能代替白开水？
bù néng dài tì bái kāi shuǐ

饮料口味多样，其中一些还含有特殊的营养成分。人们外出时，都喜欢带一瓶饮料，甚至有的人平日里拿饮料当白开水喝。殊不知，饮料是不能代替白开水的。

饮料中一般含有大量的糖分和色素。其中，糖分在身体里堆积会转化为脂肪引起肥胖。色素是从石油和煤焦油中提炼出来的一种潜在的致癌物质。偶尔喝饮料或许不会给人体带来太大的危害，但如果将饮料作为日

我来告诉你 ↘

中国饮料行业是改革开放后才发展起来的，也是中国消费品经济发展中的热点和新增点。30年来，饮料行业不断地发展和成熟，逐渐改变了规模小、产品结构单一、竞争无序的局面。饮料企业的规模和集约化程度不断提高，产品结构也日趋合理。

cháng yǐn yòngshuǐ de huà   jiù huì yán
常饮用水的话，就会严

zhòngyǐngxiǎng rén tǐ jiànkāng
重影响人体健康。

kē xué yán jiū biǎomíng tiān rán
科学研究表明：天然

shuǐzhōngsuǒ hán de gè zhǒngkuàng wù
水中所含的各种矿物

zhì hé wēi liàngyuán sù wánquánnénggòu
质和微量元素完全能够

mǎn zú rén tǐ jiànkāng xū qiú   yīn
满足人体健康需求，因

cǐ   hē bái kāi shuǐ duì rén tǐ shì zuì
此，喝白开水对人体是最

yǒu yì de
有益的。

bù guò   hē bái kāi shuǐyào zhù yì liǎngdiǎn shǒuxiān yào bǎozhèng
不过，喝白开水要注意两点：首先要保证

shuǐyuán zhì liàng shòu wū rǎn de shuǐ
水源质量，受污染的水

duì jiànkāngyǒu hài   lìng wài shuǐ
对健康有害；另外，水

yī dìng yào shāo kāi   zhè yàng cái
一定要烧开，这样才

néngshā sǐ shuǐzhōng de xì jūn hé
能杀死水中的细菌和

bìng dú
病毒。

小博士

不含酒精的饮料可以分为几类？

A.5 类。

B.6 类。

答案：A。不含酒精的饮料大致可以分为碳酸类饮料、果蔬汁饮料、功能饮料、茶类饮料、乳饮料五类。

wèi shén me chī fàn bù néng tiāo shí
为什么吃饭不能挑食？

shēnghuózhōng yǒu xiē hái zi zǒng shì bù chī zhè bù chī nà
生活中，有些孩子总是不吃这、不吃那，

què méi yǒu yì shí dào zhè zhǒng tiāo shí de xí guàn huì yǐngxiǎng zì shēn
却没有意识到这种挑食的习惯会影响自身

de shēngzhǎng fā yù shèn zhì huì zàochéngyíngyǎng bù liáng
的生长发育，甚至会造成营养不良。

wǒ men de shēn tǐ xū yào qī dà lèi yíngyǎng wù zhì dàn bái
我们的身体需要七大类营养物质：蛋白

zhì zhī lèi tàn shuǐ huà hé wù wéishēng sù kuàng wù zhì shuǐ hé
质、脂类、碳水化合物、维生素、矿物质、水和

xiān wéi sù zhè xiē yíngyǎng wù zhì zài wǒ men de shēngzhǎng fā yù
纤维素。这些营养物质在我们的生长发育

guòchéngzhōng fā huī zhe gè zì bù kě tì dài de zuòyòng tā men
过程中，发挥着各自不可替代的作用。它们

bāo hán zài mǐ miàn ròu dàn yú nǎi dà dòu shū cài shuǐguǒ
包含在米、面、肉、蛋、鱼、奶、大豆、蔬菜、水果

děng shí wù zhōng wǒ mentōngguò yǐn shí lái huò qǔ zhè xiē yíngyǎng wù
等食物中，我们通过饮食来获取这些营养物

zhì tiāo shí huì dǎo zhì shǎo chī huò méi chī dào qí zhōngmǒu xiē yíngyǎng
质。挑食会导致少吃或没吃到其中某些营养

我来告诉你 ↘

维生素是人体必不可少的营养物质，具有
重要的生理功能。因此，有些人认为维生素吃
得越多越好，其实这种想法是错误的，而且非
常危险！如长期大量口服维生素A，会出现骨
骼脱钙、关节疼痛、皮肤干燥、食欲减退、肝脾
肿大等中毒症状。

小博士

夏天温度高应多吃生冷食品,对吗?

A.对。

B.不对。

答案:B。夏天不能多吃生冷食品。多吃生冷食品会导致肠胃温度下降,减少血流量,降低消化功能,从而引起腹痛和腹泻。

wù zhì
物质,
shǐ rén tǐ quē fá mǒu xiē chéng
使人体缺乏某些成
fèn rén huì yīn cǐ wú fǎ jiàn
分。人会因此无法健
kāng chéng zhǎng bìng qiě shēng bìng
康成长,并且生病。

yǒu xiē yíng yǎng wù zhì zhǐ
有些营养物质只
cún zài yú mǒu lèi shí wù zhōng
存在于某类食物中,
rú guǒ gāng hǎo bù xǐ huan chī zhè
如果刚好不喜欢吃这
zhǒng shí wù nà me rén tǐ nèi
种食物,那么人体内
jiù huì quē fá zhè zhǒng wù zhì
就会缺乏这种物质。

xiāng fǎn rú guǒ nǎ zhǒng shí wù chī de duō tǐ nèi zhè zhǒng wù zhì
相反,如果哪种食物吃得多,体内这种物质
jiù huì guò liàng zhè liǎng zhǒng qíng kuàng dōu duì wǒ men de jiàn kāng bù
就会过量。这两种情况都对我们的健康不
lì yīn cǐ wǒ men yào yǎng chéng liáng
利。因此,我们要养成良
hǎo de yǐn shí xí guàn bù piān shí bù
好的饮食习惯,不偏食不
tiāo shí gèng yào zhù yì kē xué de ān
挑食。更要注意科学地安
pái shàn shí quán miàn hé lǐ de huò qǔ
排膳食,全面合理地获取
yíng yǎng
营养。

51

为什么吃零食不是一个好习惯？

零食品种多样，而且美味无比，很多人都抵御不了它的诱惑。可是经常吃零食对我们的身体可是有害的哦！

我们吃零食通常不定时、不定量。这种习惯会推迟我们正常的吃饭时间，会破坏我们的饮食规律，长此以往，不仅会影响人体吸收营养，还会对人体的生长发育造成损害。

还有些人喜欢一边看电视一边吃零食，在不知不觉间，就会吃入过量的食物。假如是在晚饭后，这些零食就会给胃增加额外的负担。而且晚上活动相对较少，这些多余的食物就会堆在胃

lǐ bù néng bèi xiāo huà cóng ér
里，不能被消化，从而
yǐn qǐ xiāo huà bù liáng wèi tòng děng
引起消化不良、胃痛等
jí bìng
疾病。

lìng wài yǒu xiē líng shí rú
另外，有些零食如
zhá shǔ piàn zhá shǔ tiáo xūn ròu
炸薯片、炸薯条、熏肉
gān shāo kǎo děng zhī fáng hán liàng
干、烧烤等，脂肪含量
gāo chī duō le huì fā pàng
高，吃多了会发胖。

líng shí zhōng de yī xiē gōng yè sè sù fáng fǔ jì gān zào jì
零食中的一些工业色素、防腐剂、干燥剂
děng huà xué pǐn jí yī xiē cì jī wèi jué de huà xué pǐn duì rén tǐ
等化学品及一些刺激味觉的化学品，对人体
shí fēn yǒu hài
十分有害。

yīn cǐ wǒ men yào àn shí
因此，我们要按时
chī fàn shǎo chī huò zhě bù chī
吃饭，少吃或者不吃
líng shí
零食。

小博士

油炸食品健康吗？

A.健康。

B.不健康。

答案：B。油炸食品非常不健康，因为食物中的营养素经油炸后被严重破坏，在制作过程中还会产生有害物质。

为什么早上
wèi shén me zǎo shang

不能空腹喝牛奶?
bù néng kōng fù hē niú nǎi

牛奶营养丰富,味道鲜美是人们餐桌上的佳品。但是早上最好不要空腹喝牛奶。

因为,牛奶中的主要营养物质——蛋白质平常是不作为供能物质的,但当胃里没有糖类和脂肪时,蛋白质就会被作为供能物质消耗掉,造成营养的浪费。

另外,空腹饮入较多的牛奶,稀释了胃液,也不利于其他食物的消化和吸收。

有的人甚至会因空腹喝牛奶出现腹痛、腹

我来告诉你 ↘

青少年时期是人健康成长的重要时期,在这个时期,合理的饮食和充足的营养必将为孩子的体力和智力发育打下良好的基础。每日喝250毫升鲜奶或30~40克奶粉,则可让孩子获得300毫克钙、7~8克优质蛋白质及可观的微量元素。

xiè děng zhèng zhuàng zhè shì yīn
泻 等 症 状 。 这 是 因

wèi kōng fù hē rù dà liàng de niú
为 空 腹 喝 入 大 量 的 牛

nǎi shí nǎi zhōng de rǔ táng bù
奶 时 ， 奶 中 的 乳 糖 不

néng bèi jí shí xiāo huà jìn rù dà
能 被 及 时 消 化 ， 进 入 大

cháng hòu bèi cháng dào nèi de xì
肠 后 ， 被 肠 道 内 的 细

jūn fēn jiě ér chǎn shēng dà liàng de
菌 分 解 而 产 生 大 量 的

qì tǐ suān yè cì jī cháng dào
气 体 、 酸 液 ， 刺 激 肠 道

shōu suō cóng ér yǐn qǐ rén tǐ fù
收 缩 ， 从 而 引 起 人 体 腹

tòng fù xiè děng zhèng zhuàng
痛 、 腹 泻 等 症 状 。

小博士

可以用牛奶代替白开水服药吗？

A.能。

B.不能。

答案：B。牛奶中的钙、镁等矿物质会与药物发生化学反应，形成非水溶性物质，从而影响药效。

健康指南掌握好

55

yīn cǐ hē niú nǎi zhī qián
因 此 ， 喝 牛 奶 之 前

zuì hǎo chī diǎn dōng xi rú bǐng gān
最 好 吃 点 东 西 ， 如 饼 干 、

mán tou miàn bāo děng shǐ niú nǎi tíng
馒 头 、 面 包 等 ， 使 牛 奶 停

liú zài cháng wèi de shí jiān cháng yī
留 在 肠 胃 的 时 间 长 一

xiē zhè yàng yǒu lì yú rén tǐ de
些 ， 这 样 有 利 于 人 体 的

xiāo hào hé xī shōu
消 耗 和 吸 收 。

wèi shén me fāng biàn miàn bù néng cháng chī
为什么方便面不能常吃?

fāngbiànmiàn yīn qí fāngbiàn shěng shí jīng jì děng tè diǎn yǐ
方便面因其方便、省时、经济等特点,已

jīngchéng wéi rén men zuì pǔ biàn shí yòng de kuài cān shí pǐn dàn shì jīng
经成为人们最普遍食用的快餐食品。但是经

yán jiū biǎomíng fāngbiànmiàn duì rén tǐ zàochéng de wēi hài hěn dà wǒ
研究表明,方便面对人体造成的危害很大,我

menyīngdāngshǎo chī
们应当少吃。

xiàn zài de shí pǐn tiān jiā jì duō dá yú zhǒng tā men fēn
现在的食品添加剂多达300余种,它们分

bié yǒuzēng sè piǎo bái tiáo jié wèi kǒu fáng zhǐ yǎnghuà yáncháng
别有增色、漂白、调节胃口、防止氧化、延长

bǎo cún qī děnggōngnéng
保存期等功能。

fāngbiànmiànzhōnghán yǒu dà liàngtiān jiā jì tā dōu shì yòngyóu
方便面中含有大量添加剂。它都是用油

zhá hòu zài jīng guò gān zào mì fēngbāozhuāng ér chéng yóu zhá kě jiǎn
炸后,再经过干燥密封包装而成。油炸可减

shǎomiànzhōngshuǐ fèn yánchángbǎo cún qī dàn zhè xiē yóu zhī jīng guò
少面中水分,延长保存期,但这些油脂经过

我来告诉你 ↘

据说,最早制作方便面的,是我国扬州一位姓伊的知府家中的厨子。他在面粉中加入鸡蛋,擀成薄片,切成细丝,放入水中煮过,立刻再放入油中炸过晾干,这样处理过的面条放在热水中随时可以泡软,食用非常方便。但是方便面的大规模生产首先出现在日本。

氧化后变为"氧化脂质",它们进入人体后积存于血管或其他器官中,会加速人的老化速度,并引起动脉硬化,导致脑溢血、心脏病、肾病等疾病的发生。

而且,方便面从制成到销售所需时间短则一两个月,长则一两年,其中添加的防氧化剂和其他化学物质已经在慢慢地变质。

小博士

中国第一袋方便面"诞生"在哪里?

A.上海。

B.台湾。

答案:A。中国第一袋方便面于1970年"诞生"在上海益民食品四厂。

当然,在保质期内的方便面我们偶尔吃几餐并不会对身体造成不良影响,但长期食用就会影响身体健康。

为什么不能喝生水？

wèi shén me bù néng hē shēng shuǐ

我们知道水中有杂质和微生物，不能直接饮用。为此自来水厂在水中投加混凝剂和消毒剂，以达到除去水中杂质和杀灭细菌等微生物的目的。

自然界中的淡水经过这些工艺的处理后，较之天然淡水要安全卫生得多。

但由于一些原因，自来水也不能保证绝对安全。比如，水厂水处理工艺不完善，使饮用水消毒不彻底；城镇供水管网密布于整个城区，一些陈旧的管网发生了破裂和渗

我来告诉你

地球上的生命最早出现在水中。水是所有生命体的重要组成部分，是维持生命必不可少的物质，作为饮用的水需要达到一定的要求。缺少矿物质、含有害物质或被污染的水都会影响人体健康。

漏;一些高楼的水箱,长期得不到清洗消毒。这些情况都会造成水中含有大量的污染物和微生物,从而导致水质的二次污染。另外,自来水中仍旧分布有细菌、病毒等有害物质,使水源不再百分之百纯净。

不过,经研究发现,高温可以杀死水中的病毒、细菌等致病微生物。所以,为了防止水传染病的发生和流行,保证人们身体健康,我们应将自来水煮开再饮用。

吃东西时为什么不能狼吞虎咽?

有的人一看到自己喜欢吃的食物,就控制不住自己,开始狼吞虎咽,也不管食物是否嚼碎就吞下了肚。其实这是一个很不好的习惯。

当食物入口之后,先是被牙齿咀嚼磨碎,然后进入到胃里,变为半流质的糊状物,最后在小肠中被消化吸收。

我来告诉你 ↘

夜里吃东西是一个不好的习惯。偶尔在夜里吃东西还是没有问题的,但是不要养成夜里吃东西的习惯。夜里吃东西可能会发生以下一些问题:一,易得结石、脂肪肝,严重时甚至会诱发糖尿病、癌症等疾病;二,会诱发失眠。

当整个消化系统都处于正常工作状态时，人才能从食物中吸收到足够的营养，显得精神饱满，气血旺盛。

如果吃东西时狼吞虎咽，食物放进嘴里，不细细咀嚼就往肚里咽。没有经过细嚼慢咽的食物，到了胃里就会加重胃的负担。

胃不能很好地消化食物，势必影响肠的消化和吸收。所以，我们吃东西时应该细细品尝，从而减轻胃的负担。

小博士

一边走路一边吃东西好吗？

A. 不好。

B. 没什么不好。

答案：A。乘车、走路时吃东西很不卫生，也不利于食物的消化吸收，久而久之会影响身体健康。

wèi shén me xiǎo péng yǒu
为什么小朋友
yào duō chī lǜ sè shí pǐn
要多吃绿色食品?

人们对食品的要求越来越高,不含有害物质残留的绿色食品,受到人们的欢迎和喜爱。

绿色食品是指按特定生产方式生产,并经国家有关专门机构认定,批准使用绿色食品标志的无污染、无公害、安全、优质、营养型的食品。常见的绿色食品是指在无污染的环境中种植的蔬菜、水果、养殖的家禽等。这些食品生产过程中不使用有害物质,如农药,从而更有利于人体健康。

绿色食品
Greenfood

我来告诉你

绿色食品标志由三部分构成,即上方的太阳、下方的叶片和中心的蓓蕾。标志为正圆形,意为保护。整个图形描绘了一幅明媚阳光照耀下的和谐景象,告诉人们绿色食品正是出自纯净、良好生态环境的安全无污染食品,能给人们带来蓬勃的生命力。

为什么雷雨天最好不要看电视?

如果你的家里是通过户外天线接受信号来看电视的,那么在打雷的时候最好不要看电视。

因为,闪电具有超高的电压和电流强度,而这时的天线无疑成了根"引雷针",一旦被闪电击中或者被击中其附近区域,强大的电流会烧毁电视和其他电器,甚至引起火灾,造成人员伤亡和财产损失。所以,我们要尽量避免在雷雨天看电视。

我来告诉你 ↘

雷雨天气尽量不要上网,因为雷击可能通过网线引入,把modem烧坏,甚至将计算机的网卡、主板等器件烧坏。即使是没有直接引入雷电,一般情况下,网卡、modem及电脑电源也容易在雷雨天气下损坏。在雷雨来临之际,尽可能将各种与电脑相连的线路拔掉。

64

ér qiě zài méi yǒu bì léi zhuāng zhì de shì wài tiān xiàn qū bù
而且，在没有避雷装置的室外天线区，不

shǐ yòng shí yī dìng yào bǎ tiān xiàn cóng diàn shì jī de tiān xiàn chā kǒng
使用时，一定要把天线从电视机的天线插孔

shang bá xià lái shǐ qí yǔ dì xiàn jiē tōng
上拔下来，使其与地线接通。

rú guǒ bù bá diào chā tóu jí shǐ yòng hù bù shōu kàn diàn shì jié
如果不拔掉插头，即使用户不收看电视节

mù diàn shì jī yě yǒu kě néng zāo dào léi jī ér sǔn huài wèi le bǎo
目，电视机也有可能遭到雷击而损坏。为了保

zhèng yòng diàn ān quán zuì hǎo xuǎn zé fáng léi chā zuò
证用电安全最好选择防雷插座。

yě bù shì shuō léi yǔ tiān jiù bù néng kàn diàn shì le rú guǒ jiā
也不是说雷雨天就不能看电视了，如果家

li yòng de shì yǒu xiàn diàn shì yòu yǒu diàn lù guò zài bǎo hù xì tǒng
里用的是有线电视，又有电路过载保护系统，

nà me jí biàn shì zài léi yǔ tiān yě néng fàng xīn ān quán de zài jiā
那么即便是在雷雨天也能放心、安全地在家

kàn diàn shì le
看电视了。

65

小博士

雷雨天可以站在树下避雨吗？

A.可以。

B.不能。

答案：B。木材易湿易导电。在旷野，大树就是一支引雷针，站在大树下易遭雷击。所以，不能站在树下避雨。

为什么不能用湿手去拔电线插头?

从小,父母和老师就告诉我们,千万不能用湿手去拔电线插头!但是,你知道这是为什么吗?

干燥的皮肤和绝对纯净的水都是电的不良导体,换句话说,它们都不易导电。

但是,当水中溶入杂质后,水就变成了能够导电的物体。这些杂质就像搬运工一样,把电由一边"搬"到另一边。而粘在手上的水,绝对不会是百分之百纯净的,即使原来

66

我来告诉你 ↘

电风扇是不可缺少的家用电器,想要防止电风扇引起火灾事故必须注意以下几点:严格控制电风扇的使用时间;保持电风扇清洁并滴注机油;使用中不使电机进水受潮;不在有易爆易燃物品的场所使用;经常检查电气元件及电源线连接处是否牢固,电源线是否老化破损。

是非常纯净的水，可一旦沾到我们的手，就会与皮肤上的汗液接触，也就立刻会有盐分溶解进去，从而使水变为导体。

即使插头外壳用的是绝缘材料，如果万一水通过绝缘外壳接触到导电部分，还是会很危险，容易导致触电事故的发生。

现在，你知道为什么不能用湿手去拔电线插头了吧！所以，为了我们的生命安全，千万不能用湿手去拔插头，以防触电！

小博士

你知道中国电谷是指哪里吗？

A.河北保定。

B.上海。

答案：A。中国电谷就是指河北省保定国家高新技术产业开发区。保定市高新技术产业开发区是国家级高新区之一。

wèi shén me bù néng
为什么不能
yòngshǒu qù lā chù diàn de rén
用手去拉触电的人？

diàn shì xiàn dài shēnghuózhōng bù kě huò
电是现代生活中不可或
quē de néngyuán　　rén men zài xiǎngshòudiàn dài
缺的能源。人们在享受电带
lái de zhǒngzhǒngbiàn lì shí　 yě yào bì miǎn
来的种种便利时，也要避免
yīn shǐ yòng bù dàng ér dǎo zhì de chù diàn
因使用不当而导致的触电
shì gù
事故。

rén tǐ pèngdào le dài diàn liú de
人体碰到了带电流的
xiàn lù　 rén　 xiàn lù　 dà dì jiù huì
线路，人、线路、大地就会
gòuchéngwánzhěng de diàn lù　　 diàn liú liú jīng rén tǐ zài liú xiàng dà
构成完整的电路，电流流经人体再流向大
dì　 zhè jiù shì wǒ menchángshuō de　 chù diàn　　　 rú guǒ yī gè rén
地，这就是我们常说的"触电"。如果一个人

我来告诉你

　　触电事故的发生会危及生命，要以预防为主地着手消除发生事故的原因。预防事故的发生，要充分发动群众，宣传安全用电知识，宣传触电现场急救知识，这样不但能防患于未然，万一发生了触电事故，也能进行正确及时的抢救，从而尽可能多地挽救人的生命。

chù diàn lìng yī gè rén zhí jiē
触电，另一个人直接

yòng shǒu qù lā tā diàn liú
用手去拉他，电流

jiù huì cóng chù diàn rén de shǒu
就会从触电人的手

liú xiàng qù lā de rén de shēn
流向去拉的人的身

tǐ rán hòu liú xiàng dà dì
体，然后流向大地，

zhè yàng qù lā de rén yě huì
这样去拉的人也会

chù diàn zhè zhǒng zuò fǎ bù jǐn jiù bù liǎo zhī qián chù diàn de rén
触电。这种做法不仅救不了之前触电的人，

ér qiě jiù rén de rén zì jǐ yě huì chù diàn suǒ yǐ yī gè rén chù
而且救人的人自己也会触电。所以，一个人触

diàn hòu qiān wàn bù kě zhí jiē yòng shǒu qù lā tā
电后，千万不可直接用手去拉他。

人身安全要明了

69

小博士

按照触电事故的构成方式，触电事故可以分为几类？

A.三类。

B.两类。

答案：B。按照触电事故的构成方式，触电事故可分为电击和电伤。电击是最危险的一种方式。

rú guǒ fā xiàn yǒu rén chù
如果发现有人触

diàn yīng gāi xiān duàn kāi diàn yuán
电，应该先断开电源。

zài wú fǎ zhǎo dào diàn yuán kāi
在无法找到电源开

guān de qíng kuàng xià kě yòng
关的情况下，可用

gān zào de mù gùn děng bù dǎo diàn
干燥的木棍等不导电

de wù tǐ tiāo kāi diàn xiàn rán
的物体挑开电线，然

hòu duì chù diàn rén jìn xíng jí jiù
后对触电人进行急救。

为什么会煤气中毒？

70

煤气中毒，即一氧化碳中毒。

一氧化碳是一种无色无味的气体，不易被人们察觉。血液中的血红蛋白与一氧化碳的结合能力比与氧气的结合能力强200多倍。

所以，人一旦吸入一氧化碳，氧气便失去了与血红蛋白结合的机会，使组织细胞无法从血液中获取足够的氧气，致使细胞中的代谢活动无法正常进行。

家庭中煤气中毒主要是因为冬天用煤炉取暖时，门窗紧闭，空气流通不畅，或者是

我来告诉你 ↘

煤气中毒后应解开患者衣扣，保持其呼吸通畅，并尽快带其离开中毒环境，安静休息。若患者呼吸心跳停止，应立即进行人工呼吸和心脏按压。病情稳定后，尽快将病人护送到医院做进一步检查治疗，有必要时要进行高压氧舱治疗，减少后遗症发生的几率。

yīn wèi yè huà zào jù　méi qì guǎn
因为液化灶具、煤气管
dào xiè lòu děng
道泄露等。

　　méi qì zhòng dú de rén zuì
　　煤气中毒的人最
chū huì yǒu tóu tòng　tóu hūn　ě
初会有头痛、头昏、恶
xin　ǒu tù　ruǎn ruò wú lì děng
心、呕吐、软弱无力等
zhèng zhuàng　yán zhòng de huì fā
症状，严重的会发
shēng jìng luán　hūn mí　rú guǒ jiù
生痉挛、昏迷，如果救
zhì bù jí shí　jí yì dǎo zhì sǐ
治不及时，极易导致死
wáng
亡。

　　méi qì zhòng dú shì hěn wēi xiǎn de
　　煤气中毒是很危险的。
jiā zhōng shǐ yòng méi qì　yī dìng yào zhù yì
家中使用煤气一定要注意
ān quán　dìng qī jiǎn chá fá mén hé guǎn dào
安全，定期检查阀门和管道
shì fǒu sǔn huài　　wèi le yǐ fáng
是否损坏。为了以防
wàn yī　　zuì hǎo ān zhuāng yī gè
万一，最好安装一个
méi qì bào jǐng qì
煤气报警器。

人身安全要明了

71

shǒu tàng shāng le zěn me bàn
手烫伤了怎么办?

gāo wēn yè tǐ rú fèi shuǐ gāo wēn
高温液体,如沸水;高温

gù tǐ rú shāo rè de jīn shǔ gāo wēn qì
固体,如烧热的金属;高温气

tǐ rú shuǐ zhēng qì děng dōu yǒu kě néng
体,如水蒸气等,都有可能

tàng shāng rén
烫伤人。

shǒu shì yī gè wài lù qiě jīng
手是一个外露且经

cháng huó dòng de bù wèi rú guǒ shǒu
常活动的部位。如果手

当心烫伤

tàng shāng le yīng jí shí duì qí jìn
烫伤了,应及时对其进

72

xíng chǔ lǐ wǒ men kě yǐ xiān yòng liáng shuǐ jiāng shǒu chōng xǐ gān jìng
行处理。我们可以先用凉水将手冲洗干净,

rán hòu jiāng shāng chù fàng rù liáng shuǐ zhōng jìn pào bàn xiǎo shí tōng cháng
然后将伤处放入凉水中浸泡半小时。通常

qíng kuàng xià yuè zǎo jìn pào shuǐ wēn yuè dī bù néng dī yú
情况下,越早浸泡,水温越低(不能低于5℃,

我来告诉你 ↘

在家庭生活中,最常见的是被热水、热油等烫伤。小朋友们一定要注意安全,在家长炒菜、煎炸食品时,千万不要在周围玩耍、打闹,以防被溅出的热油烫伤;不要靠近正在烧的热水壶;家里的电熨斗、电暖器等发热的器具也不要随便去触摸。

yǐ miǎndòngshāng　xiào guǒ
以免冻伤），效果

yuè hǎo　　rú guǒ shāng chù
越好。如果伤处

yǐ jīng qǐ pào pò pí　　zé
已经起泡破皮，则

bù kě jìn pào　　yǐ fáng gǎn
不可浸泡，以防感

rǎn　　zhè shí　　wǒ men kě
染。这时，我们可

yǐ bǎ jiǔ jīng dào rù pén nèi
以把酒精倒入盆内

huò tǒng nèi　　jiāng shāng chù
或桶内，将伤处

quán bù jìn rù jiǔ jīng zhōng
全部浸入酒精中，

jí kě zhǐ tòng xiāo hóng　　　　jìn pào　　　xiǎo shí hòu　　tàng shāng de pí
即可止痛消红。浸泡1~2小时后，烫伤的皮

fū kě zhú jiàn huī fù zhèng cháng
肤可逐渐恢复正常。

rú guǒ shì bèi yóu huò kāi
如果是被油或开

shuǐ tàng shāng　kě yòng fēng yóu jīng
水烫伤，可用风油精、

wàn huā yóu huò zhí wù yóu zhí jiē
万花油或植物油直接

tú yú shāng chù　　ruò pí fū wèi
涂于伤处，若皮肤未

pò　　yī bān　　fēn zhōng jí kě zhǐ
破，一般5分钟即可止

tòng
痛。

73

小博士

如果脚被严重烫伤了要尽快脱下袜子，对吗？

A.不对。

B.对。

答案:A。如果穿着衣服或鞋袜部位被烫伤，千万不要急忙脱去被烫部位的鞋袜或衣裤，否则会使皮肤表皮随同鞋袜、衣裤一起脱落。

发现家中有贼怎么办?

社会上的坏人还真不少,大家一定要有安全意识,要学会自我保护。

一个人在家时,一定要提高警惕。如果有陌生人敲门,不要随便开门。如果不慎将陌生人放进了家里,要装出自己不是一个人在家的样子。比如,镇定地朝卧室里叫某人的名字,来人就不敢马上伤害你,你就可以想办法逃脱。

如果放学回家,发现家里的门

我来告诉你 ↘

小朋友们穿着打扮要朴素,平时不穿名牌,不高消费,不在外人面前炫耀自家财富,以免被不良分子盯上。如果遭挟持,不要反抗,不要"硬碰硬",可以给钱,但要记住对方的相貌特征,事后向公安机关报案。特别要注意的是,千万不要拉住欲跑的持刀歹徒不放。

74

窗被撬，不要立即进入家中。因为如果贼还在家里，会因为被发现而伤害你。

正确的做法是：不要出声，悄悄地跑到一边去拨打110报警，并请周围的邻居帮忙堵住大门和上下楼通道，配合警察共同制服犯罪分子。

如果发现贼逃跑了，要留意贼的衣着、身高、面部特征和逃跑的方向等，以便警方抓捕。记住，千万不可盲目冲进屋里捉贼。

人身安全要明了

75

小博士

军军想：110真的会来救人吗？打一个电话试试。这样做对吗？

A.对。

B.不对。

答案：B。打报警电话是事关社会治安管理的大事，千万不要随意拨打或以此开玩笑。

鱼刺卡在喉咙里怎么办?

吃鱼对人体有不少好处,可有时一不小心,就会被鱼刺卡住喉咙,这时应该怎么办呢?

如果是较小的鱼刺,有时会随着吞咽食物,自然地咽下去了。此时若感到刺痛,可用手电筒照亮咽喉处,用小勺将舌背压低,如果刺不大,扎得不深,可用长镊子将其夹出。如果用镊子无法取出,可以将醋含在嘴里慢慢咽下让鱼刺软化。若是遇到较大的或扎得较深的鱼刺,应及时去医院治疗。

76

我来告诉你

当鱼刺卡在嗓子里时,千万不要匆匆图吞咽大块馒头、饭团等食物。虽然有时这样做可以将鱼刺带下去,但这种不恰当的处理有时不仅没有将鱼刺带下去,反而使其刺得更深,更不易取出,严重时甚至可能引起感染发炎。所以,最好不要用此种方法除鱼刺。

shēnshangzháo huǒ zěn me bàn
身上着火怎么办？

当今社会，火灾已成为威胁公共财产，
危及人民生命
安全的一种
多发性灾害。
据统计，全世界
每天发生火灾1万起左右，死2000多人，伤
3000~4000人，每年火灾造成的直接财产损
失达10多亿元。

如果因火灾而引起身上着火，千万不要
惊慌，更不能奔跑，因为奔跑会加速空气流

我来告诉你

据统计，我国上世纪70年代火灾年平均损
失不到2.5亿元，80年代火灾年平均损失不到
3.2亿元。进入90年代，特别是1993年以来，
火灾造成的直接财产损失上升到年均十几亿元，
年均死亡2000多人。事实证明，随着社会和经
济的发展，消防工作的重要性越来越突出了。

dòng ràng shēnshang de huǒ yuè shāo yuè wàng
动，让身上的火越烧越旺。

zhèngquè de zuò fǎ shì shǒuxiān gǎn
正确的做法是：首先赶

jǐn tuō diào shēnshangzháohuǒ de yī fu rú
紧脱掉身上着火的衣服，如

guǒ lái bu jí tuō yī fu jiù dǎo zài dì shang
果来不及脱衣服，就倒在地上

dǎ gǔn yā miè huǒmiáo yě kě yǐ qǐng tā
打滚，压灭火苗；也可以请他

rén yòng shī mián bèi gài zhùzháohuǒ de shēn tǐ
人用湿棉被盖住着火的身体

huò zhěwǎngshēnshang pō shuǐ jiāo miè huǒ yàn
或者往身上泼水，浇灭火焰。

rú guǒ shì zài yǒu hé de hù wài kě zhí jiē tiào rù hé li
如果是在有河的户外，可直接跳入河里。

zhèyàng suī rán shuǐzhōng de xì jūn huì yǐn fā shāngkǒu gǎn rǎn dàn
这样，虽然水中的细菌会引发伤口感染，但

zǒng bǐ yán zhòng shāo shāng hǎo
总比严重烧伤好

duō le
多了。

小博士

化学烧伤能用肥皂水冲洗吗？

A.不能。

B.可以。

答案：B。化学烧伤应用大量的水长时间冲洗。在诊所或急诊室，应用肥皂水仔细清洁创面，去掉所有的残留物。

rú guǒ fā xiàn bié ren shēn
如果发现别人身

shangzháohuǒ qiānwàn bù néng
上着火，千万不能

yòng miè huǒ qì miè huǒ yīn wèi
用灭火器灭火，因为

miè huǒ qì li de yào jì huì yǐn
灭火器里的药剂会引

qǐ shāngkǒu gǎn rǎn
起伤口感染。

怎样报火警才正确？

火警电话
FIRE EMERGENCY CALL

119

当火灾发生时，我们一定要记清、拨准全国统一火警电话号码——119。

当听到对方回答是"消防队"时，首先要报清失火单位和地址。然后要报清着火物品名称、火灾面积及火势情况等信息。若有人被困在火场内或有爆炸、中毒等危险因素存在时，应如实报告。最后，要把报警人的电话号码和姓名告诉对方，以便

我来告诉你

在各种灾害中，火灾是最普遍的威胁公众安全和社会发展的灾害之一。人类能够对火进行利用和控制，是人类文明进步的一个重要标志。但是，失去控制的火会给人类造成灾难。所以说，人类使用火的历史与同火灾作斗争的历史是相伴相生的。

80

suí shí lián xì
随时联系。

zài yǔ huǒ jǐng
在与火警
rén yuán tōng diàn huà
人员通电话
shí   qiān wàn bù yào
时，千万不要
huāng zhāng   tǔ zì yī dìng yào qīng
慌张，吐字一定要清
xī   yǔ sù jìn liàng fàng màn   ràng
晰，语速尽量放慢，让
duì fāng néng gòu tīng qīng chu
对方能够听清楚。

dǎ wán diàn huà hòu   hái yào
打完电话后，还要
zài huǒ chǎng fù jìn de zhǔ yào lù kǒu děng hòu   yǐ biàn jí shí gěi xiāo
在火场附近的主要路口等候，以便及时给消
fáng chē dài lù
防车带路。

人身安全要明了

81

小博士

酒精着火时可以用水灭火吗？

A.不能。

B.能。

答案：A。酒精和食用油一样，着火时不能用水灭火，要用土、沙泥、干粉灭火器等灭火。

为什么救生圈被涂成橙黄色?

大家都知道,救生圈能帮助人们长时间浮在水面上,但是不知大家有没有注意到,救生圈一般被涂成橙黄色,尤其是在海上。这是为什么呢?

海里虽然很好玩,但也很危险。救生圈涂成橙黄色是为了更好地保护人们的安全。可是为什么把救生圈涂成橙黄色就能保护人的安全呢?

原来,救生圈用橙黄色是为了吓跑海

我来告诉你

游泳时救生设备质量的好坏很重要。一般的充气式游泳圈只是一种水上充气玩具,与救生圈是有区别的。真正的救生圈和救生衣在生产中对所用的泡沫、塑料等材料的物理性能、化学性能都有明确的要求,对产品的强度与硬度也都有严格的规定。

yángzhōng de shā yú
洋中的鲨鱼。因为鲨鱼害怕橙黄色，它一

yīn wèi shā yú hài pà chénghuáng sè　　tā yī
jiàn dàochénghuáng sè　　jiù huì diàozhuǎn
见到橙黄色，就会调转

fāngxiàngyuǎnyuǎn táo qù　nìng ké
方向远远逃去，宁可

ái è yě bù yuànkào jìn
挨饿也不愿靠近。

小博士

在我国古代有救生圈吗？

A.有。

B.没有。

答案：A。早在两三千年前我国就有了"救生圈"，那就是干了的葫芦瓜。葫芦瓜便是最原始的救生设备。

rén men jiù yī jù shā yú
人们就依据鲨鱼

de ruò diǎn　　zài jiù shēngquān
的弱点，在救生圈

shang tú shàng le chéng huáng
上涂上了橙黄

sè　　zhèyàng yī lái jiù ké yǐ
色，这样一来就可以

bǎo hù rén men bù shòushā yú de
保护人们不受鲨鱼的

人身安全要明了

83

gōng jī le
攻击了。

lìng wài chénghuáng sè tè bié xiān yàn xǐng mù rén men hěnróng
另外，橙黄色特别鲜艳、醒目，人们很容

yì kàn dào dài jiù shēngquān de rén zhèyàng
易看到带救生圈的人，这样，

zài fā shēngwēi xiǎn de shí hòu jiù zhù rén
在发生危险的时候，救助人

yuán jiù néng jí shí fā xiàn xū yào bèi jiù zhù
员就能及时发现需要被救助

de mù biāo bìng jìn xíngqiǎng jiù
的目标，并进行抢救。

为什么下雨天容易滑倒?

下雨天走路的时候，一不小心就容易滑倒，你知道这是什么原因吗?

原来，下雨天易滑倒是摩擦力减小的原因造成的。摩擦力是一个物体沿着另一个物体表面运动时所受到的阻力。

当人走路时，脚和地面接触就会产生摩擦力，走起路来就会很稳当。如果没有这种摩擦力，人走路就会像踩着香蕉皮一样，走一步滑一跤。

下雨天路上有水，水处于鞋和路面之间，

我来告诉你 ↘

生活中如果突然摔倒了，尽量别用手腕撑地，因为这种摔倒姿势最容易造成手臂骨折;也不要急着起来，应先检查一下身体哪些部位疼痛。一旦发生骨折，切不可乱揉乱动，应用围巾、书本等工具固定好骨折部位，然后请求他人帮助，尽早到附近医院治疗。

shǐ xié hé lù miàn
使鞋和路面
de mó cā lì jiǎn
的摩擦力减
xiǎo yú shì jiù róng
小,于是就容
yì huá dǎo le rú
易滑倒了。如
guǒ xié zi bǐ jiào
果鞋子比较
jiù xié dǐ de
旧,鞋底的

huā wén mó píng le yǔ dì miàn jiē chù de mó cā lì gèngxiǎo le rén
花纹磨平了,与地面接触的摩擦力更小了,人
yě jiù gèngróng yì huá dǎo le mó cā lì gěi wǒ men de shēnghuó dài
也就更容易滑倒了。摩擦力给我们的生活带
lái le fāngbiàn shǐ wǒ men zǒu lù bù huì huá dǎo dōngtiān xià xuě
来了方便,使我们走路不会滑倒。冬天下雪
shí wǒ men zài dì shang sǎ yī xiē
时,我们在地上撒一些
mù xiè kě yǐ zēng dà mó cā lì
木屑,可以增大摩擦力,
fáng zhǐ lù miàn dǎ huá dàn mó
防止路面打滑。但摩
cā lì yě dài lái le yī xiē má
擦力也带来了一些麻
fan yīn wèi yǒu mó cā lì wǒ
烦。因为有摩擦力,我
men de xié chuān shàng yī duàn shí
们的鞋穿上一段时
jiān xié dǐ jiù huì bèi mó pò
间,鞋底就会被磨破。

人身安全要明了

85

小博士

雨雪天将车胎的气打得足足的好吗?

A.不好。

B.应该这样。

答案:A。雨雪天车胎气不可太足,将气放至平时充气量的2 / 3为好,这样可以增加车轮与地面的接触面积,防止打滑。

飞机上为什么禁用手机？

如今移动电话逐步被普及，随处都可以见到拿手机打电话的人，但是在飞机上手机却是被禁止使用的。这是为什么呢？

其实，这主要是出于安全考虑。因为在飞机上使用移动电话，不仅会干扰飞机的通讯、导航、操纵系统，还会干扰飞机与地面的无线信号联系，尤其在飞机起降时干扰更大。

此外，在高空中使用手机，还会对地面信号塔的信号产生干扰，影响地面用户，造成串线等问题。

我来告诉你 ↘

在加油站也禁用手机，因为在给汽车加油过程中油蒸气会挥发到空气中，与空气形成爆炸性气体。手机本身是采用直流电，在手机开关的过程中，会产生微量的火花，而这些火花足以点燃达到爆炸极限范围内的爆炸性气体，造成事故的发生。

shì shí shang
事实上，
zuò fēi jī de lǚ kè
坐飞机的旅客
zhǐ néng tōng guò zuò
只能通过座
wèi shang de diàn huà yǔ dì miàn lián xì
位上的电话与地面联系。
fēi xíng jiè rèn wéi zài fēi
飞行界认为，在飞
xíng tú zhōng shǐ yòng shǒu jī shì fēi cháng wēi xiǎn de
行途中使用手机是非常危险的。

yīn cǐ chéng kè men zài fēi
因此，乘客们在飞
xíng zhōng jué bù kě yǐ shǐ yòng shǒu
行中绝不可以使用手
jī lì shǐ shang de zhǒng zhǒng
机。历史上的种种
shì jiàn dōu zhèng míng le zhè yī
事件都证明了这一
diǎn
点。

yī cì yī jià cóng sī luò
一次，一架从斯洛
wén ní yà fēi wǎng sà lā rè wō
文尼亚飞往萨拉热窝
de fēi jī tū rán jǐng bào cháng
的飞机突然警报长
míng bù dé bù jǐn jí jiàng luò
鸣，不得不紧急降落。
hòu lái diào chá rén yuán zài xíng li
后来，调查人员在行李
cāng li fā xiàn le yī gè chǔ yú kāi jī zhuàng tài de shǒu jī
仓里发现了一个处于开机状态的手机。

87

小博士

手机进水后立即关机对吗？

A.应该这样做。

B.不要立即关机。

答案:B。手机进水,切记不要作任何按键动作,尤其是关机。正确的方法是马上打开外盖,直接将电池取下,强迫断电。

怎样防止扒手窃包？

如今人们出门逛街或者外出旅游频繁，社会上小偷也很多，如何防止扒手窃包呢？

外出游玩时尽量不要携带大量现金和贵重物品，如必需带较多钱款时，最好分散放置在内衣口袋里，外衣口袋里和皮包里只放少量现金以便购买车票和零星物品时使用。

外出时，不可将钱夹放在裤子口袋里。也不可把钱或贵重物品置于包的底部或边缘，以免被割窃走。

在拥挤的地方，应该将包放在身前，不管

我来告诉你 ↘

如果发现被歹徒盯上，不要惊慌，应迅速向附近的商店、繁华热闹的街道转移，那里人来人往，歹徒不敢胡作非为。遇到拦路抢劫的歹徒，可以将身上少量的财物交给歹徒，应付周旋，同时仔细记下歹徒的相貌、身高、口音、衣着、逃离方向等情况，待事后立即向民警或公安部门报案。

shì chī fàn gòu wù huò
是吃饭、购物或

pāi zhào dōu yīng zuò dào
拍照，都应做到

bāo bù lí shēn
包不离身。

lìng wài chéng zuò
另外，乘坐

gōng gòng qì chē shí bù
公共汽车时，不

yào zài gōng gòng qì chē
要在公共汽车

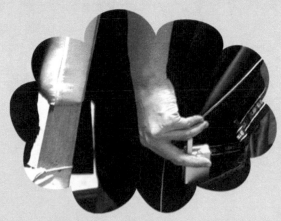

shang shuì jiào cháng tú lǚ xíng de chéng kè zài shuì jiào shí yào jǐng xǐng
上睡觉。长途旅行的乘客，在睡觉时要警醒

yī xiē yóu qí shì zài shēn yè xíng chē shí gèng yào liú shén xiǎo xīn
一些，尤其是在深夜行车时，更要留神小心。

bù chī mò shēng rén gěi de shí wù bù wěi tuō mò shēng rén bāng
不吃陌生人给的食物，不委托陌生人帮

máng kān guǎn xíng li
忙看管行李。

chē dào zhàn shí rén duō
车到站时，人多

yōng jǐ shì fā àn de gāo fēng
拥挤，是发案的高峰

qī suǒ yǐ xià chē chū zhàn
期。所以，下车出站

qián yào shōu shi hǎo zì jǐ de xíng
前要收拾好自己的行

li wù pǐn àn shùn xù xià chē
李物品，按顺序下车

chū zhàn
出站。

人身安全要明了

89

为什么要走人行道？

人行道是为行人专门设立的，车辆是不允许在人行道上行驶的。自行车在人行道上也只能推着走，不能骑行。

因此，行人在人行道上行走是十分安全的。如果在没有人行道的街道上行走，行人一定要尽量靠路边行走，避开机动车和非机动车。

行人在横过马路时会与车辆在机动车道上产生交叉，极易造成交通事故。所以，横过马路时一定要走人行横道。

我来告诉你 ↘

人行横道上有一条条白线，又叫"斑马线"。20世纪50年代初期，英国人在街道上设计出了一种横格状的人行横道线，规定行人横过街道时，只能走人行横道。后来伦敦街头出现了一道道赫然醒目的横线，看上去这些横线像斑马身上的白斑纹，因而人们称它为"斑马线"。

　　人行道指的是道路中用路缘石或护栏及其他类似设施加以分隔的专供行人通行的部分。一般位于车行道的两侧,其宽度等于一条行人带的宽度乘以带数,我国一般取每条行人带宽度为 0.75~1.00 米,通行能力约 800~1000 人/每小时,带数由人流大小决定。桥上的人行道一般高出行车道 0.25~0.35 米。

为什么红灯停、绿灯行？

日常生活中，我们经常看到交通红绿灯，它们美丽而醒目地装点着我们的城市。

同学们也都知道"红灯停、绿灯行"的交通规则。然而，为什么要用红绿灯作为交通指示灯？而又为什么偏偏规定为"红灯停、绿灯行"呢？

我们知道波长越短的光越容易被散射掉，绿光的波长比红光的波长短，所以绿光比红光更容易被散射掉，而红光相对表现出较强的穿透能力。

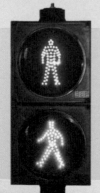

我来告诉你

1858年，在英国伦敦的主要街头安装了以燃煤气为光源的红、蓝两色的机械扳手式信号灯，用以指挥马车通行。这是世界上最早的交通信号灯。1868年，英国机械工程师纳伊特在伦敦威斯敏斯特区的议会大厦前的广场上，安装了世界上最早的煤气红绿灯。

儿童十万个为什么

设有交通指示灯的地方往往是交通情况复杂、行人密集之处，也常常是交通事故多发区。特别是遇上不好的天气，比如在北方的冬季或沿海一带，经常会遇到雾很大的天气。在这种情况下，由于红光被散射相对较少，穿透能力较强，可使驾驶员首先看到红灯，从而提醒驾驶员尽早减速以保证行车安全。红绿灯不仅可以美化城市，最重要的是它能保证交通安全，这就是其中的道理。

小博士

中国最早的马路红绿灯出现在哪里？

A.上海。

B.北京。

答案：A。中国最早的马路红绿灯于1928年出现在上海的英租界。

纸是用什么做的？

在人们日常生活中，到处都需要用到纸，如我们的课本、报纸，还有挂历等，都是用纸做的。那么，纸是从哪里来的呢？

造纸的主要原料是木材。造纸厂把芦苇、麦草和木材等原料切碎，用蒸汽将原料煮成纸浆，然后用大量清水对纸浆进行洗涤，并通过筛选和净化把浆中的粗片、节子、石块及沙子等除去。再根据纸种的要求，用漂白剂将

我来告诉你

造纸术在公元7世纪初期（隋末唐初）开始东传至朝鲜、日本；8世纪西传入撒马尔罕，就是后来的阿拉伯；10世纪传到大马士革、开罗；13世纪传入印度；14世纪到意大利，从那里再传到德国、英国；16世纪传入俄国、荷兰；17世纪传到英国；19世纪传入加拿大。

zhǐ jiāngpiǎo zhì yāo qiú de bái dù
纸浆漂至要求的白度，

jiē zhe lì yòng dǎ jiāng shè bèi jìn
接着利用打浆设备进

xíng dǎ jiāng
行打浆。

rán hòu zài zhǐ jiāngzhōng jiā
然后，在纸浆中加

rù gǎi shàn zhǐ zhāngxìngnéng de tián
入改善纸张性能的填

liào jiāo liào shī jiāo jì děng gè
料、胶料、施胶剂等各

zhǒng fǔ liào bìng zài cì jìn xíng jìng
种辅料，并再次进行净

huà hé shāixuǎn
化和筛选。

小博士

你知道造纸术是由谁发明的吗？

A.蔡伦。

B.毕昇。

答案：A。造纸术是我国东汉时期的蔡伦发明的，这为文化的传播创造了有利的条件。

zuì hòu jiāngjìng huàshāixuǎnhòu de zhǐ jiāngsòngshàngzào zhǐ jī
最后，将净化筛选后的纸浆送上造纸机，

jīng guòwǎng bù lǜ shuǐ yā zhà tuō shuǐ hōnggānggān zào yā guāngjuǎn
经过网部滤水、压榨脱水、烘缸干燥、压光卷

qǔ bìng jìn xíng fēn qiē fù juǎnhuò cái qiē shēngchǎnchū juǎntǒng zhǐ hé
取，并进行分切复卷或裁切，生产出卷筒纸和

píngbǎn zhǐ
平板纸。

xiàn zài zào zhǐ de yuán
现在造纸的原

liào yuè lái yuè duō sù liào
料越来越多，塑料、

jīn shǔ bō li dōu kě yǐ zào
金属、玻璃都可以造

chū hěn tè bié de zhǐ lái
出很特别的纸来。

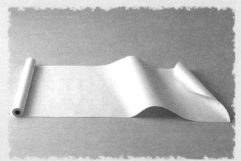

95

动画片为什么会动？

动画片里的人和小动物都会动、会说话，滑稽而有趣，因此许多小朋友都喜欢看动画片。可你知道要让它们动起来是多么不容易吗？

动画片和影视片一样，每一秒为24格，每一格都是一个定格镜头，把每一个定格镜头连起来就形成了动画效果影视片。动画片里所有的东西都是人画出来的。动画片的制作有导演、设计稿、原画、动画、描线、上色、线拍、摄影等工作人员，他们各有分工。制作动画是相当辛苦的一件事情。

我来告诉你

动画片是一种综合艺术门类，是工业社会人类寻求精神解脱的产物，它是集合了绘画、漫画、电影、数字媒体、摄影、音乐、文学等众多艺术门类于一身的艺术表现形式。它还是一门幻想艺术，更容易直观地表现和抒发人们的感情，扩展人类的想像力和创造力。

比如，你在动画片中看到一匹马在奔跑，制作动画片时就要画许多张马奔跑的画面，这些画面只是稍微有一点不同；然后再把相差最小的静画一张张地排好队，用摄像机拍摄下来；最后用电影播放机将它们连在一起放出来。制作一部10分钟的动画片，需要画1万多张图画。

虽然一集动画片不长，但是制作出来需要几年甚至更长的时间。

小博士

你知道中国第一部系列动画片是什么吗？

A.《葫芦兄弟》。

B.《三个和尚》。

答案：A。中国第一部系列动画片是1987年拍摄的《葫芦兄弟》。

fēngzheng wèi shén me néng fēi shàng tiān

风筝为什么能飞上天?

chūntiān dào le　xiǎopéngyǒumen lái dào cǎo dì shang fàng fēngzheng
春天到了，小朋友们来到草地上放风筝，

nǐ zhī dào fēngzheng wèi shén me néng fēi shàng tiān ma　qí shí　fēngzheng
你知道风筝为什么能飞上天吗? 其实，风筝

néng fēi shàng tiān quán kào fēng de　bāngmáng
能飞上天全靠风的"帮忙"。

zài zhì zuò fēngzheng shí　fēngzheng de miàn jī yào zú gòu dà
在制作风筝时，风筝的面积要足够大，

ér qiě bì xū yòu qīng yòu jiē shi　fēngzhengshang de lā xiàn yě yào jì
而且必须又轻又结实，风筝上的拉线也要系

de fēi chángqiǎomiào　shǐ fēngzhengnéng zài tiānkōngzhōngqīng xié chéng yī
得非常巧妙，使风筝能在天空中倾斜成一

gè jiǎo dù　fēngzheng de lā xiàn jì de bù hǎo　wú lùn fēngzheng shì
个角度。风筝的拉线系得不好，无论风筝是

píngtǎng zhe hái shi zhí lì zhe　dōu bù néngshēngkōng
平躺着还是直立着，都不能升空。

fàngfēngzheng shí　rén menzǒng shì lā zhe fēngzhengxiàn　yíng zhe
放风筝时，人们总是拉着风筝线，迎着

fēngbēn pǎo　fēngchuī zài fēngzheng
风奔跑。风吹在风筝

de　shēn tǐ shang fēng lì
的"身体"上，风力、

zhòng lì hé xiànshéng de lā lì
重力和线绳的拉力

zuò yòng zài fēng zheng shang de
作用在风筝上的

hé lì fāngxiàng bì xū shì xiàng
合力方向必须是向

上的，这样
风筝才会上
升。当它上
升到空中
后会保持一
种动态的平

衡，使其在天空稳固漂浮。

如果风力不大或角度不正确，又或者绳

子拴的角度不好，风筝就会掉下来。

风筝的尾部常

常拖着很长的"尾

巴"，它不光使风筝

飞舞时显得好看，更

重要的是能让风筝

保持平稳。

小博士

风筝是哪个国家最先发明的？

A.日本。

B.中国。

答案：B。风筝是中国人发明的，相传墨翟以木头制成木鸟，研制三年而成，这是人类最早发明的风筝。

不倒翁为什么不会倒?

不倒翁一经触动就摇摆起来,不一会儿又会直立,是一种很有趣的玩具。为什么不倒翁不会倒呢?

不倒翁之所以不会倒,是因为它的整个身体都很轻,而在它的底部却装有一个较重的东西——铅块或铁块。所以,不倒翁的重心很低。

另一方面,不倒翁的底面大而圆滑,容易摆动。当不倒翁向一边倾斜时,因为支点(不倒翁和桌面的接触点)发生变动,它的重心

我来告诉你 ↘

"不倒翁"常被用于比喻某些善于应付环境而能长期保持自己权位的人,有贬义。"不倒翁"式的官儿,古今不乏其人。唐朝有位封德彝,宠极生前,罪暴其后,其人历隋唐两代而荣华不衰。他精于运筹官场,整日纵横捭阖,玩弄关系,成为保其位而固其宠的"不倒翁"。

小博士

玩具是只适合儿童玩的吗？

A.不是。

B.是的。

答案：A。玩具不光适合儿童，还适合青年和中老年人，适合每个年龄段的所有人群。它是打开智慧天窗的工具。

和支点就不在同一条铅垂线上，这时重力会使它绕支点摆动，最后又使它恢复到正常的位置。

不倒翁倾斜的程度越大，支点离重心的水平距离就越大，重力产生的摆动效能就越大，使它恢复原位的趋势也就越明显。因此，不倒翁是永远推不倒的。

在生活中，为增加物体的稳定性，我们常采用加重物体下部重量的方式，如电扇底座、话筒架、公共汽车站牌等。

鸟落在高压线上为什么不会触电？

如果人不小心碰到高压线就会触电身亡。但我们经常可以看到成群的麻雀或乌鸦停落在几万伏的高压电线上，它们不仅不会触电，而且个个显得悠然自得。

同样是一根高压线，为什么小鸟站在上面却不会触电呢？

我们都知道，电流就像看不见的水流一样，从高压处流向低压处。人摸高压线时高压线是高压处，地面是低压处，人体是导体，电

我来告诉你

带金属外壳的电器应使用三脚电源插头。有些家电出现故障或受潮时外壳可能漏电。一旦外壳带电，用的又是两脚电源插座，人体接触后就有遭受电击的可能。耗电大的家用电器要使用单独的电源插座，因为电线和插座都有规定的载流量，否则可能毁坏插座，造成危险。

流由高压电线通过人体流向大地，电流的能量在人体上变成热能，这就是人触电身亡的原因。

由于小鸟身体较小，两腿之间距离短，其所站两点之间电压差别很小，因此它们身体里没有电流通过，也就不会触电了。

不过，如果鸟儿的身体同时

小博士

塑料绝缘导线直接埋在墙内好吗？

A.好。

B.不好。

答案：B。塑料绝缘导线长时间使用后，塑料会老化龟裂，一旦墙体受潮，就会引起大面积漏电，危及人身安全。

接触到两根电线，或者站在电线上的鸟在不绝缘的电杆或架子上磨嘴巴，就会有电流从鸟儿身上流过，使其触电身亡。

wèi shén me zài huǒ chē shang
为什么在火车上
shōu bù dào wú xiàn diàn guǎng bō
收不到无线电广播?

guǎng bō jié mù fēng fù duō cǎi　　hěn duō rén dōu xǐ huan tīng
广播节目丰富多彩，很多人都喜欢听。

shōu yīn jī qīng qiǎo biàn yú xié dài　kě shì wài chū lǚ yóu zuò zài huǒ chē
收音机轻巧便于携带，可是外出旅游坐在火车

shang dǎ suàn bǎ shōu yīn jī ná chū lái tīng ting guǎng bō de shí hou　què
上打算把收音机拿出来听听广播的时候，却

fā xiàn zài huǒ chē shang shōu bù dào wú xiàn diàn guǎng bō
发现在火车上收不到无线电广播。

shōu yīn jī li de guǎng bō shì cóng guǎng bō diàn tái chuán lái de
收音机里的广播是从广播电台传来的。

cóng guǎng bō diàn tái fā shè de wú xiàn diàn bō　kě yǐ chuán dào sì miàn
从广播电台发射的无线电波，可以传到四面

bā fāng　jiù xiàng zài shuǐ li rēng le　yī kuài xiǎo shí tou　shuǐ bō huì yuè
八方，就像在水里扔了一块小石头，水波会越

chuán yuè yuǎn
传越远。

jiā li de shōu yīn jī shōu dào zhè xiē wú xiàn diàn bō hòu　jīng guò
家里的收音机收到这些无线电波后，经过

我来告诉你 ↘

由于无线电的广泛使用以及人们对于大功率
发射机和高灵敏度电子管接收机技能的熟练掌
握，使广播逐渐变成了现实。1920 年 6 月 15 日，
马可尼公司在英国举办了一次以梅尔芭太太主
演的"无线电——电话"音乐会，音乐会传播至巴
黎、意大利、挪威。这就是广播事业的开始。

diànshēng zhuǎn huàn huán yuán chū guǎng bō nèi róng bō fàng chū lái wǒ men
电声 转换还原出广播内容播放出来，我们
jiù néng tīng dào gè gè pín dào de guǎng bō le kě shì huǒ chē de
就能听到各个频道的广播了。可是，火车的
chē xiāng jiù xiàng yī gè dà tiě hé
车厢就像一个大铁盒
zi zhè ge tiě hé zi píng bì le
子，这个铁盒子屏蔽了
wú xiàn diàn guǎng bō xìn hào suǒ
无线电广播信号。所
yǐ shōu yīn jī jiē shōu bù dào wú
以收音机接收不到无
xiàn diàn xìn hào rén men zài huǒ chē
线电信号，人们在火车
shang yě jiù tīng bù dào guǎng bō
上也就听不到广播
le
了。

小博士

中国第一家广播电台
是什么时候开播的？
A.1923 年。
B.1949 年。
答案：A。1923 年 1 月
24 日美在华第一个电台正
式开播，呼号为"ECO"，是
中国第一家广播电台。

为什么自动电梯能把人送上楼？

wèi shén me zì dòng
diàn tī néng bǎ rén sòngshàng lóu

电梯是现在许多公共场所运送乘客和货物的机器，因此又被人们称为"大楼里的交通车"。

在城市里，如果没有电梯，人们工作、购物和游览等都会感到不便。那么，电梯为什么能把人送上楼呢？

自动电梯由马达和一个载人仓组成，通电以后，马达运转起来，同时带动载人仓升降。这样，人就能随着电梯一起上下楼了。

我来告诉你 ↘

人类利用升降工具运输货物、人员的历史非常悠久。早在公元前 2600 年，埃及人在建造金字塔时就使用了最原始的升降系统，这套系统的基本原理至今仍在使用，即一个平衡物下降的同时，负载平台上升。不过，早期的升降工具基本以人力为动力。

你知道吗 ↘

　　随着超高层建筑的出现，电梯的设计工艺不断得到提高，电梯的品种也逐渐增多。1900 年，美国奥的斯公司制成了世界上第一台电动扶梯。1950 年又制成了安装在高层建筑外面的观光电梯，使乘客能在电梯运行中清楚地眺望四周的景色。中国最早的电梯出现在上海，是由美国奥的斯公司于 1901 年安装的。

biān pào wèi shén me huì
鞭炮为什么会
pī li pā lā de xiǎng
"噼里啪啦"地响？

勤学多问早知道

108

wú lùn shì guò nián guò jié　hái shi hūn sāng jià qǔ　jìn xué shēng
无论是过年过节，还是婚丧嫁娶、进学升
qiān　yǐ zhì dà shà luò chéng　xīn diàn kāi zhāng
迁，以至大厦落成、新店开张
děng　rén men dōu xí guàn fàng biān pào lái qìng zhù
等，人们都习惯放鞭炮来庆祝。
xiǎo péng yǒu men yě　xǐ huan zài chūn jié　li fàng biān
小朋友们也喜欢在春节里放鞭
pào wán　nà me　biān pào wèi shén me huì
炮玩。那么，鞭炮为什么会
pī li pā lā　de xiǎng ne
"噼里啪啦"地响呢？

yuán lái　biān pào jiù xiàng yī gè zhǐ
原来，鞭炮就像一个纸
zuò de fáng zi　lǐ miàn yǒu yī xiē hēi sè
做的房子，里面有一些黑色
de huǒ yào　biān pào diǎn rán hòu　lǐ miàn
的火药。鞭炮点燃后，里面

我来告诉你 ↘

据说鞭炮起源于爆竹。自古以来流传着这样一种说法：很久以前，每年农历除夕的晚上会出现一种叫"年"的猛兽，为了吓跑这种猛兽，人们就在家门口燃烧竹节（或者用红色的物品贴在房外），由于竹腔内的空气受热膨胀，使得竹腔爆裂，从而发出巨响，借此驱赶年兽。

儿童十万个为什么

小博士

烟花最早是什么时候出现的？

A.宋朝。

B.唐朝。

答案：A。烟花最早出现于宋朝，其制作工艺很复杂，开始主要用作军事信号，后来成为了一种玩具。

的火药燃烧了起来，而且一下子产生了许多气体。纸做的"小房子"根本装不下这些气体。于是，这些气体就猛烈向外冲去，把"纸房子"炸得"粉身碎骨"，就发出了响亮的"噼啪"声。

随着社会和人类文明的进步，春节放鞭炮这种习俗的弊端已引起社会各界的重视。以前我国许多城市都制定了禁止燃放烟花爆竹的规定，但现已解除。

照哈哈镜为什么会变形？

当你站在哈哈镜前，镜子中你的脸会被照得扁圆，看上去滑稽至极！人们看到镜中的自己常会"哈哈"大笑起来，故取名"哈哈镜"。

哈哈镜是用凸凹不平的玻璃制成的镜子，用它来照东西，东西在镜子里的影像会变得奇形怪状，引人发笑。哈哈镜镜面各部分凸凹不同，因而所成的像有的被放大，有的被缩小。比如，当你对着一个上部是凹镜的哈哈镜时，你的头就会被放大，而且因为鼻子

我来告诉你 ↘

其实，哈哈镜并不是什么稀奇东西。在我们周围就有各种各样的哈哈镜，如镀铝的台灯柱和家具腿、自行车铃盖、罐头盒、不锈钢锅、小汽车的外壳等，都是不同形式的哈哈镜，它们都会使你的像变形。加了甘油的肥皂泡也有这种效果。

tū chū liǎn bù lí jìngmiàn gèng jìn suǒ yǐ bí zi
突出脸部，离镜面更近，所以鼻子
de xiàngfàng dà de bèi shù bǐ liǎnshang qí tā rèn hé
的像放大的倍数比脸上其他任何
bù wèi dōu dà jié guǒ jiù zhàochū dà bí zi le
部位都大，结果就照出"大鼻子"了。
　　rú guǒ nǐ duì zhe yī gè shàng bù shì tū miàn
　　如果你对着一个上部是凸面
jìng de hā hā jìng yīn wèi jìng zi zài shù zhí fāngxiàng
镜的哈哈镜，因为镜子在竖直方向
shangbìng méi yǒu wān qū suǒ yǐ zài shù zhí fāngxiàng
上并没有弯曲，所以在竖直方向
shangxiàng yǔ wù cháng dù xiāngtóng dàn zài shuǐpíng
上像与物长度相同，但在水平
fāngxiàngshang yóu yú shì tū jìng xiàng shì fàng dà de
方向上由于是凸镜，像是放大的。
āo jìng yě shì tóngyàng de dào lǐ hā hā jìng de jìngmiàn zhèng shì yóu
凹镜也是同样的道理。哈哈镜的镜面正是由

yú yǒu āo yǒu tū suǒ yǐ jiù
于有凹有凸，所以就
bǎ rén zhàobiànxíng le chéng le
把人照变形了，成了
wāi qī niǔ bā de yàng zi
歪七扭八的样子。

小博士

玻璃镜是什么时候在
中国被普及的？

A.明代。

B.清代。

答案：B。玻璃镜在明
代时传入中国。清代乾隆
(1736—1795)以后，玻璃镜
逐渐被普及。

为什么体温计的水银柱不会自动下降？

当我们感冒发烧时，医生就会用体温计给我们量体温。这时你会发现，体温计从腋下拿出来后，其上升的水银柱却不会自动下降。这是为什么呢？

体温计的上部是一根玻璃管，下端是一个玻璃泡。玻璃泡里装有水银，玻璃管上标有刻度来显示人的体温。

在我们测体温时，我们的体温比体温计的温度高，液泡内的水银受热后体积

我来告诉你 ↘

由于体温计主要是测人的体温的，所以它的刻度范围为35℃～42℃，体温计每一小格代表0.1℃。实验室的温度计测量范围一般都较大，由于用途不同，温度计的构造、测量范围、最小分度可能各不相同。

膨胀，就会沿着玻璃管上升。当水银的温度与人的体温达到一致时，水银就会静止不动。当体温计离开人体后，外界气温较低，水银遇冷后体积收缩，就在曲颈部分（玻璃泡和玻璃管间很细的细管）断开，细管内的水银不能退回到玻璃泡内。这样，体温计上的刻度显示的就是我们的体温了。这也是为什么体温计能测量体温的原因。

之后，将体温计甩几下，体温计内的水银柱就会恢复到最初的指示，也就可以用于下次测量了。

勤学多问早知道

113

小博士

最早的温度计是由谁发明的？

A.华伦海特。

B.伽利略。

答案：B。最早的温度计是在 1593 年由意大利科学家伽利略发明的。它受外界大气压强等环境因素的影响较大，所以测量误差较大。

运动鞋鞋底
为什么装"钉子"?

体育运动会上,那些跑得飞快的运动员穿的鞋子都很特别,仔细观察会发现,他们的鞋底装有很多"小钉子"。你知道这是为什么吗?

原来,穿着鞋底有"钉子"的运动鞋,能使运动员跑得更快、更稳。运动员穿着钉鞋跑步时,又尖又硬的鞋钉在跑道上能防止鞋底打滑。

而且,运动员在跨步时,还能借助于鞋钉

我来告诉你

运动鞋与皮鞋、胶鞋最根本的区别在其功能方面。一般皮鞋、胶鞋在功能方面主要强调的是防滑、舒适、保温、透气和美观。而运动鞋不仅要满足上述要求,还要根据运动项目的特殊性,分别要求具有弹性、能量回归、减震、运动保护、提高运动成绩等作用。

dēng dì shí de fǎn zuò yòng lì
蹬地时的反作用力，
jī xù gèng dà de lì liàng tā
积蓄更大的力量，他
men jiù néng pǎo de gèng kuài chuàng
们就能跑得更快，创
zào chū gèng hǎo de chéng jì
造出更好的成绩。

zú qiú yùn dòng yuán yě shì
足球运动员也是
chuān zhe dīng xié de nǐ yě xǔ
穿着钉鞋的，你也许
huì dān xīn tā men yī bù xiǎo xīn
会担心他们一不小心
cǎi dào bié ren huì zào chéng yì wài shāng hài qí shí zú qiú yùn
踩到别人，会造成意外伤害。其实，足球运
dòng yuán de xié dīng yǒu tā zì jǐ de tè sè tā bù shì yòng jīn shǔ
动员的鞋钉有它自己的特色。它不是用金属
zuò de ér qiě yòu biǎn yòu yuán
做的，而且又扁又圆，
néng shì yìng zú qiú chǎng dì ér
能适应足球场地。而
qiě tā yě jù yǒu liáng hǎo de zhuā
且，它也具有良好的抓
dì néng lì néng fáng huá yī bān
地能力，能防滑，一般
bù huì cǎi shāng bié ren
不会踩伤别人。

小博士

青少年长期穿运动鞋好吗？

A.有很多弊端。

B.最好长期穿运动鞋。

答案：A。长期穿运动鞋有许多弊病，由于鞋内温度和湿度的提高，青少年脚底韧带容易变松拉长，脚掌逐渐变宽，久而久之变成平足。

勤学多问早知道

115

肥皂泡为什么五颜六色?

小朋友一定都玩过用肥皂水吹泡泡的游戏。肥皂水是白色的,吹出来的泡泡却是五颜六色的。那是谁给肥皂泡染色的呢?

我们吹出的肥皂泡是由一层像透明的玻璃纸一样薄的肥皂膜形成的。当阳光射到肥皂膜上时,它的里面和外面都会反射光线。当阳光外面反射的光线到达里面时便立刻反射回来。反射回来的光线,又会引起

我来告诉你

玩肥皂泡还有很多好处:肥皂泡激发了人对制作泡泡水的兴趣,使人从中体验探索游戏的快乐;它培养人的感知能力、观察比较力及初步的动手操作能力;它引导人认识制作泡泡水的材料,探索制作泡泡水的方法,并从中了解泡泡的特征。

一定的反射。我们知道,肥皂膜是极薄的,这样两股反射的光线容易重叠起来,在肥皂膜厚度不同的地方,有的光增强,有的光减弱,甚至消失。

阳光有赤、橙、黄、绿、青、蓝、紫七种色彩,若在肥皂膜的某处正好使两股反射回来的红光相抵消,这时就看不到红光而显蓝绿色。同样的道理,在另一部分,某种色光得到加强,呈现出来的就是另一种颜色。正是光线的相互重叠,才使肥皂泡变得五颜六色。

小博士

制作肥皂泡一定要加甘油吗?

A.是的。

B.不是。

答案:B。用胶水、水、洗涤灵、洗手液也可以制作出肥皂泡,比例为1:4:2:2。

自来水是从哪里来的？

古时候人们喝水很不方便，都是从河里或井里打水喝。而现在小朋友们都知道，把水龙头打开就有自来水流出来了。可是，水龙头里的自来水又是从哪里来的呢？

自来水其实都是从河流、湖泊中来的。由于自然因素和人为因素，使得原水里含有各种各样的杂质，这些杂质会给人类健康和工业生产带来危害。所以这些水被引到自来水厂进行处理。

在自来水厂里，水经过混凝反应处理、沉

我来告诉你 ↘

目前世界上最安全的自来水消毒方法是臭氧消毒，不过这种处理方法的费用太昂贵，而且经过臭氧处理过的水，它的保留时间是有限的，至于能保留多长时间，目前还没有一个确切的概念。所以现在只有少数的发达国家才使用这种处理方法。

diàn chǔ lǐ guò lǜ chǔ lǐ lǜ hòu
淀处理、过滤处理、滤后

xiāo dú chǔ lǐ děng duō cì chǔ lǐ
消毒处理等多次处理，

jiù biàn de bǐ jiào gān jìng le jìng
就变得比较干净了。净

huà hòu de shuǐ néng jī běn mǎn zú
化后的水能基本满足

shēng huó yǐn yòng jí gōng yè shēng
生活饮用及工业生

chǎn de xū yào
产的需要。

jīng guò zhè xiē chǔ lǐ hòu
经过这些处理后，

zì lái shuǐ chǎng zài yòng shuǐ bèng jiāng guò lǜ xiāo dú hòu de shuǐ yā jìn
自来水厂再用水泵将过滤、消毒后的水压进

shuǐ tǎ huò zhù shuǐ xiāng li shuǐ tǎ de dà chū shuǐ guǎn lián zhe xiǎo shuǐ
水塔或贮水箱里。水塔的大出水管连着小水

guǎn xiǎo shuǐ guǎn lián zhe qiān jiā wàn
管，小水管连着千家万

hù de shuǐ lóng tóu
户的水龙头。

dāng rán zhōng jiān hái yǒu yī
当然，中间还有一

xiē jiā yā bèng zhàn zēng jiā shuǐ de
些加压泵站，增加水的

yā lì suǒ yǐ wǒ men yī dǎ
压力。所以，我们一打

kāi shuǐ lóng tóu zì lái shuǐ jiù huì
开水龙头，自来水就会

yuán yuán bù duàn de liú chū lái
源源不断地流出来。

小博士

中国的自来水事业是什么时候诞生的？

A.清朝末期。

B.新中国成立时。

答案：A。中国的自来水事业，诞生于清朝末期的1908年，当时得到了慈禧太后的大力支持。2008年是北京自来水事业的百年华诞。

为什么自动售货机能识别假硬币？

自动售货机投币入口有一个光电管，检测到硬币进入后才会让后面的线圈振荡并开始记录频率值，同时计算变化量。

正常的情况下，硬币是被塞进入口，然后沿结构设计好的槽滚动进入。由于真假硬币的材质不同，当它们通过线圈时引起的振荡频率也不相同。售货机就是据此分辨真假硬币的。

我来告诉你

自动售货机是一种全新的商业零售模式，20世纪70年代自日本和欧美发展起来。它又被称为"24小时营业的微型超市"。在日本，70%的罐装饮料是通过自动售货机售出的。全球著名饮料商可口可乐公司在全世界就设有50万台饮料自动售货机。

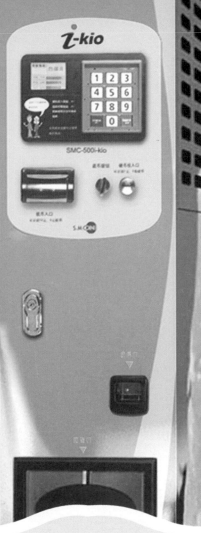

　　据说世界上最早的自动售货机出现在公元前 3 世纪，那是埃及神殿里的投币式圣水出售机。17 世纪，英国的小酒吧里设了香烟自动售货机。在自动售货机发展的历史长河中，日本开发出实用型的自动售货机是在进入本世纪后的事。自动售货机的真正普及是在第二次世界大战以后。现在，自动售货机产业正在走向信息化并进一步实现合理化。

打开尘封的门窗
让清晨的阳光
洒遍每一个角落
走向生命的原野
让风儿
带我们感受心灵
的跳动
扬帆知识的海洋
满载着对未来的
美好憧憬与遐想
……

www.book1001.com
E-mail:phoenixchildren@tom.com